Orientamenti

le guide del Mulino

I lettori che desiderano informarsi
sui libri e sull'insieme delle attività della
Società editrice il Mulino
possono consultare il sito Internet:

http://www.mulino.it

Edoardo Lombardi Vallauri

Parlare l'italiano
Come usare bene la nostra lingua

il Mulino

ISBN 88-15-07253-5

Indice

Introduzione:
perché la lingua serve

«Ne uccide più la lingua che la spada», è stato detto. Ma anche senza essere così sanguinari, ogni giorno sperimentiamo l'estrema utilità di un buon maneggio delle armi linguistiche. Questo è ovvio per alcuni mestieri come la politica, l'insegnamento, la creazione pubblicitaria, la professione di avvocato. Forse è meno ovvio, ma è altrettanto vero, per molti altri. Per esempio un commerciante, sia esso panettiere, venditore di ferramenta o agente di viaggi, deve certo fornire prodotti utili alla clientela; ma ciò che fa la differenza, ciò che può dargli il successo, è soprattutto la capacità di «spiegare» la merce, di far capire al cliente di quali prodotti ha bisogno e perché. Lo stesso si può dire di tutti i liberi professionisti, che sono pagati per il loro lavoro e la loro consulenza. Anche queste cose si possono vendere bene o meno bene.

Un primo fatto cruciale che rende utile la lingua può essere riassunto così: **la lingua serve a comunicare con le persone**. Se sei passabilmente padrone della lingua, riesci a comunicare abbastanza bene quello che pensi. Se sei *veramente* padrone della lingua, riesci anche a comunicarlo nel modo più adatto ai tuoi interlocutori. Se sei un datore di lavoro, otterrai di più dai dipendenti, e se sei un dipendente otterrai di più dal datore di lavoro. Se devi lavorare in gruppo, per una collaborazione fruttuosa è indispensabile far capire bene quello che intendi. Se sei uno studente, interrogazioni ed esami dipendono in larga misura dalla tua proprietà ed efficacia di linguaggio. Lo stesso vale dei colloqui per trovare lavoro, delle dispute condominiali, delle operazioni di acquisto di una casa o di un viaggio nei mari del sud, dell'interazione con vigili urbani, fornitori ed artigiani, parenti e amici: quasi tutto avviene attraverso la parola. Perfino nell'amore, se riesci ad esprimere nel modo più giusto quello che senti ottieni di più dalla persona amata, e sei capace di darle di più.

A qualcuno queste affermazioni potrebbero sembrare astratte e poco realistiche, frutto di una mentalità scolastica e arretrata, che metta il bello scrivere e il ben parlare al di sopra di tutto. Invece sono il frutto di una valutazione attuale, che deve tener conto del rinnovato potere della parola in un mondo sempre più intessuto di comunicazione. L'autore non si illude che in qualsiasi ambiente la cosa più importante sia parlare bene, ma ritiene che parlare bene sia una delle cose che tornano utili in più ambienti. Anche e forse soprattutto negli ambienti in cui nessuno è capace di farlo, parlare bene può risultare utilissimo. Alcuni pensano (ma non ci hanno pensato bene) che il modo in cui ci si esprime abbia peso negli ambienti umanistici e letterari, mentre negli ambiti scientifici, tecnologici e comunque «pratici» importino soltanto i fatti. Il capitolo 1 di questo libro mostra invece quanto l'appropriatezza linguistica è importante nel mondo della scienza e dell'agire pratico, perché è proprio nella pratica concreta che non si possono tenere separate le parole dai concetti e dai fatti.

Qui emerge un secondo fatto che rende importante la lingua nella vita di ciascuno: **noi pensiamo attraverso la lingua**. Anche quando non parliamo, dentro la nostra testa i nostri pensieri si servono della lingua per prendere forma. Una vaga sensazione, uno stato d'animo, per diventare pensieri «utilizzabili» devono prendere la forma di parole e frasi di una lingua. È possibile rievocare una sensazione senza averle dato un nome, ma già se vogliamo confrontare due sensazioni diverse cominciano a servirci delle parole con cui «etichettarle». Appena si passa a pensieri più complessi, la lingua diventa indispensabile: non si può ricordare un ragionamento fatto in precedenza, se non in forma linguistica: provateci, se vi riesce; ed è tanto più impossibile, senza servirsi delle parole, mettere in relazione ragionamenti diversi, trarre deduzioni e sviluppi, insomma... pensare. Il pensiero senza la lingua è come lo schizzo approssimativo di una costruzione da realizzare con i pezzi del meccano. La lingua è il meccano. Ne consegue che la qualità del nostro pensiero dipende in qualche misura dalla qualità della lingua di cui ci serviamo. La qualità della costruzione dipende dalla varietà e qualità dei pezzi del meccano. L'idea a monte può essere ancora vaga e imprecisa, ma nel diventare costruzione deve precisarsi. Se per il tetto ho a disposizione solo pezzi quadrati, quale che fosse l'idea originaria finirò per fare un tetto a tegole quadrate; se ho solo pezzi blu, farò un tetto blu. Ma se ho ogni tipo di pezzo e ne conosco bene l'uso, potrò fare un tetto molto più simile a quello che volevo davvero. Anzi: fin dall'inizio potrò progettare un tetto migliore. Allo stesso modo, per esempio, se dentro di me percepisco che il comportamento di una persona non mi piace, posso tradurre questa sensazione in pensieri più o meno precisi, a seconda che disponga di un lessico più o meno ricco. Potrò dire a me stesso che questa persona si comporta in modo *brutto* o *stronzo*, ma mi servirà a poco. Potrò dire che si comporta in modo *antipatico*, chiarendomi che la spiacevolezza sta nella manifestazione di qualche lato del carattere, ed escludendo quindi che il problema sia per esempio di volgarità, di viltà, di disonestà; questo mi servirà a prendere atteggiamenti più appropriati nei confronti di quella persona. Potrò andare ancora più a fondo, e chiarire a me stesso che l'antipatia sta nella sua *presunzione*, che si tratta di un comportamento *presuntuoso*; questo guiderà ancora meglio le mie previsioni sui comportamenti che posso aspettarmi da quella persona, e dunque l'atteggiamento da tenere nei suoi confronti. La parola giusta permette di mettere a fuoco l'idea giusta e il comportamento pratico migliore.

Dunque, a cosa serve questo libro? e a chi serve? Nasce come un libro per gli studenti degli ultimi anni delle scuole superiori e dell'università; ma in realtà si rivolge a chiunque senta la necessità di avere un ruolo attivo nella collettività, di affrontare con impegno i vari aspetti della sua vita e fra questi, non marginale, il saper pensare e il sapersi esprimere. Tutte le cose si possono fare male, benino, bene e benissimo. L'uso della lingua non fa eccezione, ma trattandosi di un'abilità che si acquisisce in gran parte automaticamente, molti non si pongono il problema di perfezionarla. Anche persone che mettono il massimo senso critico e il massimo impegno in quasi tutto quello che fanno, nel parlare si accontentano del punto a cui li ha portati madre natura con la complicità dell'ambiente in cui sono vissuti. Invece si può fare molto per diventare coscienti di come usiamo la lingua, e per usarla meglio. Questo si traduce in risultati concreti e, perché no, in qualche grammo di felicità in più.

Naturalmente, questo libro **non si propone di insegnare a parlare, ma di indicare la strada per parlare meglio, anzi molto bene**. Dunque non ci soffermeremo su tutte quelle regole essenziali che creano problemi a un bambino di tre anni o a uno straniero che si accosta alla lingua italiana; invece, ci concentreremo sulle «zone di difficoltà», cioè su quegli aspetti della nostra lingua e del linguaggio in generale che, forse perché intrinsecamente difficili, forse perché neglitti dalla tradizione scolastica, continuano a presentare qualche difficoltà anche per molti «parlanti esperti», e di solito a loro insaputa.

Queste difficoltà sono di due tipi. Il primo tipo, trattato nella Parte prima, sono i problemi dovuti all'ignoranza della struttura della lingua o di parte del suo lessico, come accade per i linguaggi scientifici e settoriali, le parole straniere o le parole italiane più difficili, l'influsso delle mode. Il secondo tipo di difficoltà, trattato nella Parte seconda, sono i problemi che nascono dal non sapersi adattare alle diverse situazioni in cui ci troviamo a usare la lingua. Di solito facciamo in modo che gli abiti che ci mettiamo addosso siano adatti alle circostanze. Non andiamo a giocare a tennis e a una cena elegante vestiti nello stesso modo. Ad ogni circostanza si addice un certo abbigliamento. Ugualmente, in ogni situazione esiste un modo appropriato di esprimersi, e molti modi più o meno sbagliati. Ci sono poi (sempre più) situazioni in cui qualcuno usa accortamente la lingua per influenzarci, ed è bene sapersi difendere o addirittura, talvolta, contrattaccare. Infine, in ogni situazione, il nostro modo di esprimerci deve tener conto almeno di altri due parametri: chi è l'interlocutore e quali sono gli scopi che ci prefiggiamo. Se in mezzo al traffico nell'ora di punta vogliamo far saltare la mosca al naso di un camionista per dare inizio a una rissa, dovremo usare un linguaggio diverso da quello con cui la sera prima volevamo commuovere un'anziana nobildonna perché ci nominasse suo erede universale.

La materia da trattare è virtualmente infinita, come infiniti sono gli enunciati che si possono produrre in una lingua, e innumerevoli sono le situazioni in cui ci si può trovare a parlare. Questo libro non vuole esaurire tanta infinità, ma cerca di mettervi ordine, fornendo **una possibile classificazione delle cose a cui stare attenti**. Soprattutto, cerca di stimolare la riflessione del lettore perché dagli esempi e dai casi particolari arrivi a capire l'atteggiamento generale da assumere. Perché arrivi a costruire un modo personale e maturo di usare la lingua, conscio delle sue potenzialità e dei modi per adattarla ai propri interlocutori, ai propri scopi e alle situazioni.

Ringrazio Luciano Agostiniani, Andrea Angiolini, Mariolina Dufour Berte, Gabriella Giacomelli, la famiglia Lombardi Vallauri, Simonetta Nocentini con gli insegnanti e gli studenti del liceo classico «Michelangiolo» di Firenze (anno scolastico 1994-1995), Alessandro Parenti, Silvia Pieroni, Fabio Rossi, Lorenzo Scarpelli, Raffaele Simone, Giuseppe Trautteur, Vincenzo Zampi, alcuni miei cugini, i soci del Circolo Linguistico Fiorentino e quelli dell'Agesci, e in generale tutti coloro da cui ho imparato cose, ricevuto consigli o attinto esempi che hanno reso possibile questo libro.

1. Difficoltà di parole italiane

Sono ben poche le persone che non fanno mai un errore di lingua. Si potrebbero citare miriadi di piccoli sbagli e grandi strafalcioni commessi da giornalisti, politici, uomini e donne di spettacolo e, ovviamente, anche da tutti noi privati cittadini. È la logica conseguenza della cultura di massa. Allargando la base, è diminuito lo spessore. Prima a parlare in pubblico era solo una ristretta élite, che naturalmente era molto ben preparata; oggi fra i criteri in base a cui si diventa «bravo presentatore» con licenza di parlare a milioni di persone, la proprietà di linguaggio non figura ai primi posti. Dunque, viviamo in mezzo a una fiera permanente delle rozzezze linguistiche; e ci stiamo abituando. Se questo da un lato è un peccato, però dall'altro offre a chiunque parli in maniera corretta la possibilità di emergere e di segnalarsi positivamente. È sufficiente imparare a evitare gli errori più comuni e, possibilmente, anche i meno comuni. Qui ci limiteremo a elencarne alcuni, ma raggruppati in modo da illustrare una lista tendenzialmente completa dei *meccanismi* che inducono in errore, per far capire quali sono le attenzioni da avere quando si parla.

Attenzione alle parole difficili

Quando usate una parola dal suono difficile, state attenti. Spesso la gente semplifica queste parole senza neanche accorgersene, e voi potreste averle imparate dalle persone sbagliate. Oppure, potreste averle sentite dalle persone giuste e poi averle semplificate voi stessi, senza accorgervene.

Ecco alcuni esempi:

a-r-e-o-plano, *a-r-e-o-porto* si possono usare[1];
a-e-r-e-o-plano, *a-e-r-e-o-porto* si possono anche usare;
a-e-r-o-plano, **a-e-r-o-porto** sono molto meglio.

Infatti queste parole sono formate dall'elemento di origine greca **aero-**, che designa l'aria. Più precisamente le cose sono andate così: la parola *aeroplano* ci arriva dal francese, che si è servito appunto del prefisso greco. Poi il prefisso *aero-* di *aeroplano* è stato usato per formare altre parole italiane dal significato connesso. Un aeroplano è una cosa che plana nell'aria, un aeroporto è un porto per «navi dell'aria». Naturalmente la forma migliore è la stessa per *aerostato*, *aerostazione*, *aerospaziale*, *aerodinamico*, *aerofagìa*, *aeronautica*, *aerolito*, *aeromodellismo*, *aerosol*, e così via.

Mete-re-ologo, *mete-re-ologia* sono molto usati;
meteorologo, **meteorologia** sono giusti.

Questi ultimi derivano da **metèora** (anche qui c'è dietro una parola greca), che originariamente vuol dire 'fenomeno atmosferico'.

☞ Un'altra causa della difficoltà di una parola può essere l'**accento**. Quando si dubita, basta aprire il vocabolario. Si apprende così che bisogna dire *baùle* e non *bàule*, *leccornìa* e non *leccòrnia*, *nòcciolo* per la cosa dura dentro il frutto e *nocciòlo* per l'albero di nocciole, *guaìna* piuttosto che *guàina*. La ragione sta sempre nella parola latina o straniera da cui queste parole italiane prendono origine. *Baule* viene dallo spagnolo *bahúl*; *leccornia* dall'antico italiano *lecconerìa*, derivato del verbo *leccare*; *nòcciolo* è un diminutivo dal latino *nuceum*, e *nocciòlo* è derivato dal nome della *nocciola*; *guaina* viene dal latino *vagina*. Insomma, la posizione dell'accento non è arbitraria, ma dipende da ottime ragioni. Una ragione in più per rispettarla.

Rimane vero che alcuni errori suonano più gravi e altri

---

[1] Nel capitolo 7 vedremo fino a che punto queste parole si possono usare nella loro veste «informale», e quando invece è meglio attenersi strettamente all'ortografia.

meno. *Guàina* al posto di *guaìna* è ormai così diffuso, anche fra le persone che parlano bene, che può dirsi almeno altrettanto accettabile. In altre parole, si può sostenere che la lingua sta cambiando in quella direzione, e che *guàina* è diventata una parola dell'italiano, mentre *guaìna* tende ad essere abbandonata. Il discorso vale nettamente meno per *bàule*, che resta un segno di leggera ignoranza (o di provenienza regionale) in chi lo dice. Comunque, ogni esempio conta fino a un certo punto. Quello che conta è l'attenzione generale a controllare i propri accenti.

Attenzione alle somiglianze ingannatrici: invenzione di parole

Quando si sbaglia strada spesso la causa è qualcosa che ci ha ingannati. Un ricordo impreciso che ci svia, un cartello storto. una casa in lontananza che somiglia a quella che stiamo cercando e poi rivela di non esserlo. Anche gli errori di lingua possono nascere perché crediamo di aver capito la struttura di una parola, e invece qualcosa che ci sembra di conoscere ci ha tratti fuori strada. Dunque attenzione a non dare mai per scontato di sapere, anche se la tentazione di interpretare il mondo a modo nostro è sempre molto forte. È emblematico il caso di un musicista dilettante, che evidentemente aveva una certa opinione di sé, e la rifletteva anche nel suo italiano. Mi parlò una volta di certe *flautulenze*, di cui soffriva se mangiava determinate pietanze. Melodioso fino in fondo, il tipo. Però la parola che voleva usare, pur essendo parente vicina del flauto, è figlia del latino *flatus*, il fiato. Le **flatulenze** sono dei fiati, sia pure «spostati».

☞ Ecco dunque alcuni esempi di frasi che contengono una parola o un'espressione in realtà inesistente. Provate voi stessi a individuare l'errore. Di seguito spiegheremo quali sono le forme scorrette e in cosa consiste la trappola che ne è probabilmente la causa.

Allora ci vediamo venerdì, almeno che io non debba partire domani sera per Roma.

Per dire 'salvo che' si dice **a meno che** e non *almeno che*. Si tratta di un'espressione dal significato non proprio trasparente, che non sembra in un rapporto chiaro con le parole che la compongono. L'uso comune e il senso stesso dell'espressione non aiutano molto a ricordare esattamente di quali parole è fatta. Dunque la strada è aperta agli errori. L'esistenza in italiano della parola *almeno* può trarre in inganno, ed ecco che qualcuno passa ad *almeno che*.

Se ti togli la cannottiera e lavori a dorso nudo eviti di ritrovarti con un'abbronzatura da muratore.

Si dice **canottiera** e non *cannottiera*. A trarre in inganno è forse la doppia *t*, che induce a raddoppiare anche la *n*. Simile è il caso di *accellerare*, che è da molti usato al posto della forma giusta **accelerare**, connessa all'aggettivo **celere**, che vuol dire 'veloce'; oppure il caso di *avvallare* nel senso di 'garantire, appoggiare, approvare', spesso rozzamente sostituito al corretto **avallare**, derivato di **avallo**, che significa appunto 'garanzia' e anche 'appoggio, approvazione'. Probabilmente l'esistenza di parole simili e più comuni che contengono una doppia *v* (come *avvalersi* o *avvallamento*) trae qualcuno in inganno. Allo stesso modo, per la doppia *n* di *cannottiera* avrà forse collaborato il modello di altre parole che iniziano per *cann-*, essendo derivati di *canna*: *cannone*, *cannocchiale*, *cannellone*, eccetera. Ma *canottiera* viene da **canotto** 'piccola imbarcazione' proprio come **canottaggio**. Infatti è la tipica maglietta di chi deve vogare.

È facile cadere in inganno anche con parole come **abbrutito**, che molti cambiano in *abbruttito*. Qui infatti la trappola è duplice: da un lato c'è la doppia consonante all'inizio della parola, dovuta all'unione con il prefisso; dall'altra c'è il paragone con *brutto*. *Abbrutito* viene da **bruto** e non da *brutto*: significa 'reso bruto', cioè rozzo e brutale. Per 'reso brutto' c'è un'altra parola, formata non a caso con un altro prefisso, che evita confusioni: *imbruttito*.

Quando qualcuno dice *a dorso nudo* in realtà intende dire **a torso nudo**. La ragione è semplice: il torso è tutta quella parte del corpo che sta fra la vita e il collo, mentre il dorso è solo la schiena. *A dorso nudo* significherebbe dunque 'con la schiena nuda', e magari la pancia, il petto, le spalle e le braccia coperti, come certe signore in abito da sera. Naturalmente la parola *dorso* è molto più comune e nota di *torso*, e così molti hanno mal interpretato quest'espressione. Dire *a dorso nudo* non è certo un grave errore, ma fa sorridere quelli che conoscono l'espressione nella sua forma originale.

Prometto che sarò il più possibile coinciso, dato che abbiamo poco tempo.

Siate **concisi**. Non è facile, perché non ha senso, essere *coincisi*. Conciso è un aggettivo, e viene dal participio passato di un verbo latino che significa 'tagliare'. Vuol dire 'tagliato', e quindi 'breve'. *Coinciso* invece come aggettivo non esiste. È il participio passato di un verbo italiano, *coincidere*, 'incontrarsi, corrispondere, sovrapporsi'. Si usa dunque in frasi come: *La caduta del governo ha coinciso con un momento difficile per l'economia nazionale*, oppure: *Il tuo arrivo ha coinciso con il passaggio all'ora legale*.

Non ti avvicinare a quell'albero: è avvolto in un nuvolo di calabroni!

Un *nuvolo* di calabroni ha tutta l'aria del maschile di una *nuvola* di vespe. Per fortuna però, salvo casi drammatici, gli insetti formano delle concentrazioni troppo piccole per potersi chiamare vere e proprie nuvole. Torna utile perciò la parola **nugolo**, che viene sempre dalla stessa radice latina ma ha preso appunto il senso di 'piccola concentrazione di piccole particelle'. Può riferirsi per analogia anche a un piccolo gruppo di uomini («il nostro eroe era circondato da un nugolo di arcieri a cavallo...»). Se mai direte *un nuvolo di insetti*, anche se non commetterete un errore grave, qualcuno di quelli che vi ascoltano penserà: «ecco, non sa che si dice *nugolo*...».

✏️ Molti cantanti hanno deciso di desertare il festival per protestare contro la scelta del presentatore.

I festival non si possono *desertare*. Niente si può desertare, semplicemente perché questo verbo non esiste. Anche se il nome e l'aggettivo corrispondenti suonano *deserto* con la *e*, il verbo ha la *i*: **disertare**. Il nome e l'aggettivo sono frequenti e dunque ci sono più familiari del verbo, ma non bisogna lasciarsi trarre in inganno.

✏️ Mi pare che quest'ultima prova non lasci alito a dubbi: l'imputato è colpevole.

Ci sono cose che lasciano senza fiato, dunque se proprio volete, non lasciano alito alle persone. Ma è ben più difficile lasciare senza fiato i dubbi, che non respirano. Avrebbe forse più senso dire che qualcosa non lascia neanche un alito *di* dubbio, nel senso di neanche un filo, neanche un minimo di dubbio. Dunque, anche la preposizione *a* avverte che c'è qualcosa che non va nell'espressione *non lasciare alito a dubbi*. E infatti chiunque pronunci queste parole sta cercando di ripetere un'altra frase che ha sentito, ma che evidentemente non ricorda bene: **non lascia adito a dubbi**. La parola **adito** è molto rara in italiano fuori di questa frase fatta, e dunque è comprensibile che la si scambi con un'altra simile e più comune. Significa 'passaggio, accesso'. Una prova schiacciante è dunque quella che chiude la strada a ogni dubbio.

✏️ Sarò costretto a urlare, perché l'autoparlante si rifiuta di funzionare.

Sarebbe comodo avere l'*autoparlante*. Infatti, come dice la parola, parlerebbe da solo. Come l'automobile, che si muove da sola, e l'autoadesivo, che si incolla da solo. Questo comunissimo primo elemento di composti viene dal greco *autós*, e significa 'se stesso'. È per questo che *autocritica*, *autocommiserazione*, *autosufficienza*, *autobiografia* e *autogol* sono atti di chi critica, commisera, sa bastare, scrive una biografia o segna un gol a se stesso. Insomma, l'autoparlante potrebbe anche essere un oggetto che parla a se stesso. Già meno comodo. Ma non è niente di tutto questo, perché non esiste. Esiste invece l'**altoparlante**, che serve a parlare a voce alta, molto alta, anche se uno è afono e parla piano. La grande diffusione dei composti con *auto-* trae molti in inganno.

Non ho domestichezza con un tal genere di problemi.

Molte istituzioni conoscono una fase iniziale durante la quale il loro volto è ancora incerto. Poi, col tempo, assumono un aspetto più definito e regolare. È anche il caso delle lingue, e dell'italiano in particolare. C'è stato un tempo in cui alcuni dicevano *domestico* e altri preferivano usare la variante *dimestico*. Il significato era sempre lo stesso: 'di casa', e quindi anche 'familiare'. Dalla forma *dimestico* fu derivato il nome astratto **dimestichezza**, col senso appunto di 'familiarità'. Poi però *domestico* ha prevalso, e oggi nessuno più dice *dimestico*, che può considerarsi una parola morta. Ma il suo derivato *dimestichezza* è vivo e vegeto. Insomma, le vicende della lingua hanno creato una sorta di incongruenza: dall'aggettivo al nome la parola cambia vocale: *domestico* con la *o*, ma *dimestichezza* con la *i*. Più che naturale dunque la tentazione in cui cadono alcuni di «correggere» la parola meno familiare (*dimestichezza*), riavvicinandola a *domestico*; ma è il segno che non hanno sufficiente dimestichezza con le piccole stranezze della lingua.

Non ho molto tempo, ma cercherò di essere esaudiente.

Chi esaudisce è *esaudente* o *esaudiente*? In realtà nessuna di queste due forme è usata in italiano. Si può dire che *esaudire* è in pratica un verbo senza participio presente. Non è un caso raro, specialmente fra i verbi in *-ire*, come *ardire*, *finire*, *capire*. Però ci sono verbi in *-ire* che hanno participi presenti abbastanza comuni nell'uso: *coprire* ha *coprente*, **esaurire** ha **esauriente**. Ed è proprio quest'ultimo participio che ha tratto in inganno la persona a cui ho sentito dire «*cercherò di essere esaudiente*». Prima di dare una spiegazione o di raccontare qualcosa, è comune che si manifesti l'intenzione di essere *esaurienti*, cioè di spiegare o raccontare completamente, esaurendo l'argomento. Il più delle volte, così facendo si finisce anche per *esaudire* i desideri e le aspettative dell'uditorio. La persona in questione ha ascoltato un modo di dire comune e lo ha interpretato a modo suo.

✐ Questo settore ha segnato negli ultimi anni una crescita vortiginosa.

Bella parola, *vortiginoso*. Saporita, densa. Peccato che non esista. Per esistere, dovrebbe aspettare ad esempio che la usi qualche scrittore. Ma chissà se basterebbe. Non è più il tempo in cui Dante, Petrarca e Boccaccio dettavano legge, e in cui i dotti decidevano di chiamare italiana ogni parola che i grandi scrittori avessero avuto il genio o il capriccio di adoperare. Forse oggi sarebbe più efficace un presentatore televisivo... ma insomma l'importante è che la parola entri nell'uso comune, e che si mettano a usarla anche le persone colte. Con *vortiginoso* ancora non siamo a tale punto, eppure non manca di fascino questo incrocio fra una **vertigine** e un *vortice* per definire la velocità, l'inarrestabilità, la rapinosità di un processo di mutamento. Se dunque volete dire *vortiginoso* (o scriverlo, ma allora siate cauti!), fatelo con un sorriso o con un'enfasi da cui si capisca che siete consci di permettervi uno strappo alla regola per essere più espressivi. La regola è **vertiginoso**, naturalmente. Purtroppo senza vortici.

✐ L'edificio era ormai fetiscente.

Non è un caso che la parola **fatiscente** si applichi quasi sempre a muri, edifici e simili. Infatti viene dal latino *fatisci*, che significa primariamente 'fendersi, creparsi, screpolarsi'. *Fatiscente* significa dunque, riferito a opere in muratura, 'che va in rovina, cadente'. Non ha niente a che fare, credetemi, col fetore. Un edificio, in linea di principio, può essere fatiscente ed esalare un delicato aroma di violetta.

Attenzione alle somiglianze ingannatrici: scambi di parole

Ci sono parole che si somigliano molto, al punto che alcuni sono tentati di usare l'una per l'altra. In questi casi non è sbagliata la parola in sé, ma l'uso che se ne fa. Daremo ora alcuni esempi di frasi in cui una parola italiana è stata usata al posto di un'altra. Anche qui, potete cercare da soli il difetto contenuto in ogni frase e controllare, subito sotto, l'esattezza delle vostre opinioni.

Se non ci si ferma in tempo, si rischia di innestare un processo irreversibile.

Nell'era della tecnica, è frequente che ci si trovi a *innestare* qualche componente meccanico in qualche altro: obbiettivi fotografici, pezzi di aspirapolveri e di forni a microonde, accessori auto e moto e così via. Senza contare che si continuano a *innestare* le piante con gemme e germogli di buona razza. Il verbo infatti viene dal latino *ininsitare*, che significa 'piantare dentro, conficcare'.

È più raro, invece, che ci si trovi a **innescare** qualcosa. Infatti, a parte i lombrichi sull'amo, ciò che si innesca sono di solito le cariche esplosive, con cui per fortuna abbiamo sempre minore dimestichezza. *Innescare una carica* significa avviare irreversibilmente il processo che porta alla sua esplosione. Il verbo nasce dal fatto che un tempo ogni carica veniva fatta partire accendendo un materiale molto infiammabile, detto *esca*.

Per metafora, dunque, **innescare un processo** significa farlo partire, provocare l'evento (accendere l'esca) che ne determina l'inizio. Tra l'altro, l'espressione dà appunto l'idea che il processo, a somiglianza di un'esplosione, una volta avviato sia molto difficile da arrestare.

Poco appropriato, e dovuto solo al fatto che *innestare*, più comune e familiare di *innescare*, tende a sostituirlo, è l'uso dell'espressione *innestare un processo*: quale può essere il senso di 'conficcare un processo'?

È da anni che mi occupo specificatamente di reattori nucleari.

Specificatamente è avverbio tratto da *specificato*, e se vuol dire qualcosa sarà press'a poco questo: 'in maniera specificata', cioè in maniera precisata, spiegata esplicitamente, per scritto o a voce. Per esempio, se proprio si vuole usare questo avverbio, si può dire che l'istruzione di non lasciare il medicinale alla portata dei bambini è inclusa specificatamente nelle confezioni di tutti i farmaci, perché in tutte le confezioni è *specificato*, fra le altre istruzioni, di non farlo. Come si può intuire, le occasioni per usare questo avverbio sono rarissime. Ma niente paura: sempre più spesso lo si vede comparire (a sproposito) là dove invece sarebbe appropriato il cugino **specificamente**; nemmeno quest'ultimo fosse troppo corto.

Specificamente non è l'avverbio di *specificato*, ma di **specifico**, e significa 'in maniera specifica e particolare, apposita'. La persona che ha scritto la frase voleva dire che da anni si occupava proprio specificamente e in particolare di reattori nucleari; il che serviva a provare la sua competenza in materia. Senza volerlo, invece, ha detto un'altra cosa: che da anni si occupava di reattori nucleari *specificatamente, esprimendolo in maniera specifica*, cioè non nell'ombra e all'insaputa di tutti, e nemmeno lasciando che si credesse che si occupava di altro, ma informando con precisione qualcuno (chi? i giornali, i colleghi?) che studiava proprio i reattori.

Altrettanto sbagliata sarebbe la frase seguente: *La chiave dell'allarme è costruita specificatamente per questo tipo di centralina elettronica*. La chiave di un buon allarme deve essere costruita **specificamente** per la sua centralina, la sua forma deve essere tale da adattarsi precisamente a quella e a nessun'altra. Bisogna che il costruttore, quando la fabbrica, la modelli in maniera apposita. Molto meno ci importa se lo fa anche *specificatamente*, cioè se mentre lavora specifica questo fatto a qualche ascoltatore compiacente.

✐ Scusate la voce un po' stentorea, ma ho un brutto mal di gola.

Quando uno *stenta* a farsi sentire, la sua è forse una voce *stentorea*? Tutt'altro: semmai è una voce **stentata**. La prima voce stentorea è stata quella dell'eroe omerico *Stentore*, noto soprattutto per la non comune potenza del suo grido di guerra. Dal nome dell'eroe viene l'aggettivo, che dunque significa 'forte, possente, tonante'. Insomma, una voce stentorea è proprio il contrario di ciò che ci si ritrova quando si ha il mal di gola.

✐ È timido, e si schernisce sempre quando gli fanno dei complimenti.

Il verbo **schermire** significa 'proteggere, fare schermo', e dunque il suo riflessivo **schermirsi** può essere usato nel senso di 'difendersi, cercare di sottrarsi o di eludere qualcosa'; per esempio un complimento, o un invito. Può capitare che se invitate a cena un amico un po' riservato questi in un primo tempo si *schermisca*, e solo dopo qualche insistenza finisca per accettare. Meno probabile è che l'amico, per quanto timido, cominci a *schernirsi*. Il verbo *schernire* (che è collegato al sostantivo *scherno*) significa 'prendere in giro, deridere, dileggiare, farsi beffe'. Perciò il suo riflessivo *schernirsi* significa 'deridersi, farsi beffe di se stessi'. È improbabile che si arrivi a tanto per minimizzare una lode ricevuta o per non accettare un invito a cena.

✐ Ho cercato di convincerlo a venire al mare con noi, ma è piuttosto reticente.

Potenza del linguaggio giornalistico! La grande fiera pettegola delle dichiarazioni, controdichiarazioni, delle smentite, dei riserbi e delle tattiche politiche oltre che giudiziarie ha reso frequente l'impiego della parola *reticente*. Questo participio presente, a cui in italiano manca il resto del paradigma verbale, deriva (con qualche passaggio) dal latino *tacere*, il cui significato avete sotto gli occhi. *Reticente* significa 'che tace'. In particolare, nel linguaggio del diritto penale si dice *reticente* chi omette o rifiuta di dire qualcosa di rilevante ai fini di un processo. Quello di *reticenza* è dunque un reato previsto dal codice penale, ma più in generale è l'atteggiamento di chiunque non voglia parlare. Se chiedo a un mio amico il numero di telefono di sua cugina che fa l'indossatrice di costumi da bagno e lui cambia bruscamente argomento, oppure mi promette per la sesta volta da ieri che me lo darà appena possibile, oppure dice di averlo perso, posso ben definirlo *reticente*.

Dicevamo che questa parola è ormai nota a tutti. Meno frequente nell'uso (e per questa ragione spesso inopportunamente soppiantato da *reticente*) è invece un altro participio presente che in italiano manca del resto del paradigma verbale: **renitente**. Il verbo latino da cui esso deriva significa 'opporsi, fare resistenza', cosicché *renitente* significa 'che si oppone, che fa resistenza'. In particolare, si definisce *renitente alla leva* chi resiste al proprio arruolamento nei ranghi del patrio esercito, sia pure per il solo periodo dell'odiosa naja. Ma in generale si può definire *renitente*, talvolta in tono scherzoso, chiunque opponga qualsiasi tipo di resistenza. Perciò il signore che non vuole andare al mare nella frase precedente è *renitente*, non *reticente*.

 Così è troppo vago, non puoi cercare di quantizzare la spesa?

Nella fisica *quantizzare* significa passare dalla descrizione classica di un fenomeno alla sua descrizione quantistica. Si usa quasi esclusivamente nella locuzione *quantizzare il campo*. È un'acquisizione della fisica del Novecento (in particolare della meccanica quantistica) il fatto che certe grandezze, come l'energia e il momento angolare, non sono continue ma quantizzate, cioè suscettibili di assumere solo valori discreti. In altre parole, non possono assumere qualsiasi valore su un continuum e non si possono suddividere a piacere, ma, per così dire, il loro accrescimento procede per piccoli salti e non è possibile isolarne una quantità più piccola di ciascuno di questi piccoli salti. Dunque *quantizzare qualcosa* significa '**analizzarlo secondo la meccanica quantistica**', e, volgarmente, può al più significare 'esprimerne il valore come la somma di piccolissime unità discrete'.

Sì, è tutto un po' complicato, ma dovrebbe bastare a capire che difficilmente si renderà necessario quantizzare una spesa, anche perché ogni spesa, essendo espressa in una valuta (fatta di unità discrete), è già sempre, almeno nel senso banalizzato, quantizzata. *Quantizzare* **non** è una variante con l'aria più evoluta e lo stesso significato di *quantificare*.

 Dalla lista abbiamo estrapolato tutte le donne sotto i trent'anni.

Il verbo *estrapolare* appartiene certamente all'italiano, che può ringraziare per questo il linguaggio specialistico della matematica. Si compie infatti un'*estrapolazione* in senso proprio quando si prevede l'andamento di una funzione matematica oltre i limiti in cui questa è direttamente conosciuta. Trascinato, forse suo malgrado, fuori della matematica, il verbo assume il significato più generico di '**dedurre**, **inferire**, **generalizzare** qualcosa a partire da conoscenze o dati parziali'. Ciò che si estrapola è dunque di solito una legge, una regolarità. Dal fatto che dieci turisti giapponesi passando in giorni diversi davanti a un comune palazzo nella periferia di Gallarate hanno scattato ciascuno almeno tre fotografie con due diverse macchine fotografiche e altrettanti obbiettivi si può *estrapolare* che i giapponesi amano molto fare fotografie. Dal fatto che nel mese di agosto i titoli a nove colonne dei giornali riguardano argomenti come un ruzzolone del papa in valle d'Aosta o l'altalena dei progetti professionali di Antonio Di Pietro, si può *estrapolare* che non sanno di cosa parlare.

Insomma, come significato il verbo somiglia più a *dedurre* che ad *estrarre*. È piuttosto strano e goffo dire che si sono *estrapolati* dei nomi da una lista, quando è chiaro che i nomi c'erano già, non occorreva alcun ragionamento e bastava tirarli fuori. Allora perché non dire addirittura: *Abbiamo la-*

sciato nel secchio tutte le biglie rosse e blu, e ne abbiamo estrapolato quelle gialle e verdi? Oppure: *Questo dente è marcio, glielo devo estrapolare?*

Estrapolare non è una variante di *estrarre* da usare per far vedere che si conoscono parole difficili.

Mi trovo bene con la professoressa di lettere perché è abbastanza lasciva.

Nonostante l'affinità ingannatrice con il verbo *lasciare*, l'aggettivo *lascivo* non significa 'che lascia liberi, che permette molto, indulgente, di manica larga'. Viene dal latino *lascivus*, e significa '**impudico**, **licenzioso**, **lussurioso**'. È pretendere un po' troppo, dalla professoressa di lettere.

Forse non facevate nessuno dei più o meno gravi passi falsi che abbiamo spiegato in questo paragrafo e nei precedenti. Ma forse ne fate altri. Per accorgersene bisogna prestare molta attenzione a quelli che parlano davvero bene. Per esempio un gran numero di insegnanti, e un piccolo numero di giornalisti televisivi. Più sicuro, per dirozzarsi, è rivolgersi con frequenza ai testi letterari. Gli autori di buon livello prima di tutto sanno bene la loro lingua. E sulla pagina, dove le parole non fuggono via veloci, è più facile scoprire la loro vera forma e il loro vero significato. Leggere romanzi e poesie serve anche a questo.

Attenzione alle parole difficili: interpretazioni errate del significato

Come abbiamo visto ci sono termini «trasparenti», che sembrano dichiarare da soli un certo significato; e questo invita a usarli con disinvoltura. Ma talora nella forma della parola si cela un inganno, e il senso immaginato è diverso da quello vero. In altri casi la parola non è ingannatrice in sé, ma ha un significato più particolare, specifico e sottile di quello che ci sembra di poter dedurre da come la usano gli altri. Nel paragrafo precedente abbiamo visto casi in cui una parola è usata per un'altra. Qui di seguito vedremo alcuni altri esempi di frasi in cui una parola italiana è stata usata, benché non al posto di un'altra, poco a proposito.

1. Il rappresentante degli industriali ha parlato in modo chiaro ed esplicito, mentre invece i politici fanno sempre quei loro discorsi aleatori.

Alea iacta est, disse Giulio Cesare varcando il Rubicone. Cioè, 'il dado è tratto'. Sì, perché aveva preso una decisione importante, sulla quale non avrebbe potuto tornare indietro e che lo esponeva a grossi rischi. *Alea* infatti voleva dire in latino 'gioco di dadi', e anche 'rischio'. L'aggettivo *aleatorio* (latino *aleatorium*) significa '**incerto, sottoposto a un rischio**'. In particolare, oggi si sente spesso dire (perché la parola piace, piace molto) che una scelta o un discorso sono aleatori. Il senso è che il valore di quella scelta o la correttezza di quel discorso non sono sicuri, ma dipendono da come andranno le cose, dalla piega che prenderanno gli eventi. Per esempio, supponiamo che un signore, che chiameremo Tizio, dica:

– Ho intenzione di chiedere un grosso prestito alle banche per costruire un palazzetto dello sport dietro casa mia. Dicono che quest'anno calerà molto il costo del denaro. –

Un altro signore, che chiameremo Caio, potrebbe rispondergli, con ragione:

– Sì, ma mi sembra che tu faccia un discorso piuttosto aleatorio. –

Caio intende dire che il discorso di Tizio è incerto, e sottoposto al rischio (all'alea) che poi il costo del denaro non scenda, rendendo molto oneroso il debito che egli contrarrà con le banche per farsi il palazzetto domestico. Insomma, il progetto può andar bene o può andar male per ragioni che non sono sotto il controllo di Tizio.

Tizio e Caio sanno quello che dicono, ma non è detto che un Sempronio che li ascolta e che non conosce la parola *aleatorio* arrivi a capirne precisamente il legame con il concetto di 'dipendenza rischiosa dal caso'. A partire da quanto ha sentito, può banalizzarne il senso riducendola a significare semplicemente 'vago, impreciso, poco affidabile'. È quanto ha fatto chi ha pronunciato la frase (1). Voi non fatelo.

2. La mia segretaria mette anni luce a battere una lettera di una pagina.

Così diceva un giovane manager nella pubblicità di un software (quante parole straniere!) destinato a sveltire le pratiche di ufficio. Voleva dire, spiritosamente, che ci mette un sacco di tempo. Ma l'espressione *anni luce* indica una misura di distanza spaziale, e non di durata cronologica. È la distanza percorsa dalla luce in un anno. Siccome la luce fa circa 300.000 chilometri al secondo, un anno luce è uguale a circa 9.460 miliardi di chilometri. È un'unità di misura che torna utile quando si parla di distanze cosmiche. Invece che dire: *questa stella dista dalla terra quattrocentoseimilasettecentoottanta miliardi di chilometri*, è molto più comodo dire: *dista quarantatre anni luce*. Insomma, è vero che quando si parla di anni luce si parla di roba grossa, ma non si tratta di tempi. Poiché contiene la parola *anni*, l'espressione induce in errore, e dunque avremmo potuto parlarne anche nel paragrafo precedente; ma oltre a questo, anche il modo in cui viene usata aiuta poco, perché quando si sente dire che una stella dista da noi anni luce, ci vuole una piccola riflessione per non interpretare il tutto come se si stesse parlando del tempo che ci vuole a raggiungerla.

Insomma, se una segretaria impiega un anno luce a battere una lettera, non vuol dire che impiega un anno molto grosso. Vuol dire che impiega la stessa distanza che la luce copre in un anno. Cioè non vuol dire niente.

3. Il corso si può fissare telefonicamente, previo spedizione in un secondo momento della caparra di £ 500.000.

Previo **è un aggettivo**, e significa 'precedente'. In latino *praevius* letteralmente significava 'che ha la via per primo, che va innanzi'. In italiano compare solo in espressioni «cristallizzate» e un po' burocratiche come *previo assenso*, *previa lettura*, *previo versamento*, *previa conferma* (espressioni dello stesso tipo, che fanno parte del linguaggio burocratico e che impiegano altri aggettivi, sono per esempio: *fermi i patti già stipulati*, *salvi i diritti acquisiti*, *libera ogni facoltà di recessione*, ecc.); in espressioni come quelle citate, *previo* significa: 'essendo precedente' (un assenso, una lettura, un versamento, una conferma). Poiché è un aggettivo si accorda con il nome, e dunque è molto brutto vederlo al maschile se il nome è femminile (*previo spedizione*). Nella frase (4) poi disturba anche il fatto che *previo* compaia insieme con *in un secondo momento*, il cui significato è opposto: cosa può voler dire 'essendo precedente in un secondo momento'? Chi l'ha scritto credeva che il significato di *previo* fosse semplicemente qualcosa come 'purché avvenga' o 'a condizione che ci sia', e non si rendeva conto che l'aggettivo denota non solo la necessità di una condizione per il realizzarsi di un evento, ma anche la sua anteriorità cronologica rispetto ad esso.

Attenzione ai termini troppo generici

Più avanti vedremo quanto sia importante la scelta delle parole quando si parla di argomenti scientifici, perché permette di evitare errori e imprecisioni. Più in generale, scegliere le parole giuste è un'arte. Molti, quando parlano, tendono a usare sempre gli stessi pochi termini. Questo impoverisce i contenuti della loro comunicazione, e del loro stesso pensiero. La qualità in fatto di lingua (e di pensiero) non può fare a meno della varietà, dell'appropriatezza dei termini e della sottigliezza delle distinzioni. È meglio non accontentarsi della prima parola che viene in mente, ma cercare quella che dice di più, che precisa meglio il concetto che si vuole esprimere. Nelle pieghe della lingua si celano possibilità notevoli. Per esempio, consideriamo la frase (1), che proviene dal commento a una poesia ad opera di uno studente:

1. Per il poeta la visione della sua donna è una cosa bellissima.

Lo scrivente ha perso almeno due buone occasioni, una per ogni termine molto generico che ha usato.

Esaminiamo prima il nome *cosa*. È il nome generico per eccellenza. Si poteva dire che era uno **spettacolo**, oppure una **sensazione**, oppure ancora un'**esperienza** o un **ricordo**. Certo, per scegliere una o più di queste parole bisognava prima pensare bene. Il poeta si pone nei confronti della sua donna come di fronte a uno spettacolo? Nella poesia prevale il resoconto delle sue sensazioni? Quello che conta è il ricordo dell'esperienza fatta? Una volta chiarite le idee a se stessi, ci si può esprimere con precisione e chiarirle anche agli altri. Supponiamo che ciò di cui vogliamo parlare sia la *sensazione* provata dal poeta. Allora la frase diventerà così:

1a. Per il poeta la visione della sua donna è una sensazione bellissima.

Vediamo l'aggettivo *bellissima*. È un aggettivo molto positivo nel campo estetico, ma estremamente generico. Non chiarisce che tipo di bellezza sia. Potrebbe nascondere innumerevoli significati. Chi ascolta non viene a sapere se si tratta di una sensazione estremamente **dolce**, **esaltante**, **emozionante**, **eccitante**, **sublime**, **tenera**, **serena**, **appassionante**, **convincente**, **allegra**, **eroica**, e così via. Può cercare di indovinare dal contesto, ma è sempre meglio dargli un'indicazione più precisa. Anche qui, la cosa migliore è rileggersi per bene la poesia. Per poterci esprimere con proprietà di linguaggio bisogna prima di tutto avere le idee chiare. Le due cose sono in strettissimo rapporto. Lo sforzo per esprimerci bene ci porta ad accorgerci che non solo le nostre parole, ma anche il nostro pensiero era un po' generico. Dunque rileggiamo la poesia, e scopriamo che la sensazione provata dal poeta era piuttosto dolce che allegra, piuttosto sublime che serena. Ma il suo non essere serena non significa che fosse esaltante. Possiamo scegliere di sostituire *bellissima* con *sublime e dolcissima*. La nostra frase diverrà così:

1b. Per il poeta la visione della sua donna è una sensazione sublime e dolcissima.

La frase (1b) dice più di quello che diceva la (1). Chi ci ascolta e non conosce il poeta e la sua opera, adesso comincia a farsene un'idea. Si tratterà forse di uno stilnovista o di Petrarca, meno probabilmente di Umberto Saba o di Eugenio Montale.

☞ Da questo esempio si traggono due insegnamenti. Il primo è: **scegli le parole giuste se vuoi chiarire davvero cosa pensi**. Il secondo forse è più importante del primo, ed è questo: **se non ti sforzi di scegliere le parole giuste, spesso non hai ben chiaro neanche tu quello che stai pensando**.

In altre parole: evitare i termini troppo generici è una ginnastica che ci abitua a non accontentarci di capire le cose solo in superficie. Di innumerevoli oggetti e situazioni si può dire che sono una *cosa bellissima*. E se lo diciamo, ci potrà sembrare di averli capiti e descritti. Ma le situazioni belle possono essere diversissime fra loro. Il momento in cui la squadra del cuore segna il gol decisivo è bello in modo diverso da quello in cui la persona amata ti restituisce il primo bacio, e tutti e due sono diversi dal finale di *Casablanca*. Dire con chiarezza queste differenze significa aver capito davvero in cosa consistono. Significa aver capito alcune cose su come funzioniamo noi stessi e su come entriamo in relazione con la realtà.

Qui è opportuna una riflessione. Sono decine di migliaia le parole che «conosciamo», nel senso che quando le incontriamo ne comprendiamo il significato. I linguisti dicono che queste parole rientrano nella nostra *competenza*. Fra le parole di cui abbiamo competenza, però, non tutte fanno parte del lessico che noi impieghiamo attivamente, nel parlare o nello scrivere. Quelle che usiamo davvero rappresentano la nostra *competenza attiva*, quelle che comprendiamo senza usarle rappresentano la nostra *competenza passiva*. Per esempio, al di fuori della Toscana tutti capiscono la parola *codesto*, ma quasi nessuno la usa. La parola fa parte della competenza passiva, ma non di quella attiva. In molte persone, lo scarto fra competenza passiva e competenza attiva riguarda soprattutto le parole dell'uso più colto. Non c'è niente di strano se una persona, pur comprendendo perfettamente il senso di termini come *metaforico*, *retroattivo*, *trascegliere* o *metempsicosi*, di fatto non li usa mai. Ma lo stesso può accadere anche con termini meno «tecnici». Per esempio, pur comprendendo il senso di *sudicio*, *lurido*, *sordido*, *lercio*, *contaminato* e simili, la maggior parte delle persone all'atto pratico sembra avere a disposizione solo il banale *sporco*, eventualmente con il superlativo *sporchissimo*.

Perché dunque usiamo solo una parte delle parole che conosciamo? Per pigrizia. Per non fare lo sforzo di andare a cercare la parola giusta. Ma è un errore: sarebbe uno sforzo ben speso, e per due ragioni. Primo, perché migliorerebbe la qualità della nostra presa concettuale sulla realtà, e della nostra capacità di comunicare. Secondo, perché solo all'inizio sarebbe uno sforzo. All'inizio occorre impegnarsi, e domandarsi ogni volta: *è questa la parola più adatta? Ce n'è un'altra che esprime meglio ciò che voglio dire?*; poi però questo esercizio dà i suoi frutti, e le parole giuste cominciano a venire da sole, automaticamente. È come se uno nella testa avesse una grande biblioteca, dove ogni volume è una parola. Per parlare bisogna continuamente cercare questa o quella parola, e quelle che non sono state usate per lungo tempo sono coperte di polvere che ne nasconde la costola, e non si trovano. Bisogna cercarle a lungo, e si è tentati di ripiegare su una delle solite, che è lì bene in vista, perfettamente spolverata e pronta a uscire dallo scaffale. Ma se una volta si riesce a scovare la parola rara e la si usa, la polvere cade e la volta dopo ritorna sulla punta della lingua come se niente fosse. Dopo un po' tutti i volumi della biblioteca sono belli lucidi, senza polvere e pronti alla bisogna. Chi parla bene non fa più sforzo di chi usa sempre le stesse tre parole, semplicemente perché ormai è allenato.

Un buon allenamento è la scrittura. Chi scrive ha più tempo per cercare le parole: può permettersi di indugiare un istante alla ricerca della parola più adatta, e quindi finisce per impiegare una varietà di termini maggiore di quando parla. Ma questo fa sì che molti termini «si spolverino» nella sua testa, diventando disponibili anche per quando parla. Forse è per questo che spesso le persone che scrivono molto sono anche quelle che parlano meglio.

Per mettere in pratica

In questo capitolo abbiamo messo in luce le potenzialità e le difficoltà del lessico italiano. Per evitare gli errori e per arricchire il proprio lessico, la strategia generale che potremmo definire «di mantenimento» è la stessa: mettersi frequentemente in contatto con chi usa bene la lingua, «esporsi» al buon italiano conversando con persone colte, ascoltandole parlare, leggendo libri ben scritti. Cogliere così i significati e gli usi corretti delle parole. Imparare parole utili. E poi, combattere la pigrizia, allenarsi a usare una lingua ricca, mantenendo un alto livello di impegno mentre si scrive e si parla. In particolare, tenere sempre vive queste sei attenzioni:

• **Attenzione alle parole dai suoni difficili o dall'accento dubbio**: spesso si è portati a storpiarle. Se non si è certissimi, è meglio controllarle sul vocabolario o chiedere conferma a qualcuno che parla molto bene. Finché si è nel dubbio, astenersi dal farne un uso arrischiato.

• **Attenzione alle parole che sembrano «parenti» di altre a voi più note**: qualche volta la somiglianza l'avete vista voi, ma in realtà non c'è. Questo può portarvi a inventare parole che non ci sono, oppure a usare una parola al posto di un'altra.

• **Attenzione alle parole del cui significato non siete sicu-rissimi, quelle attorno alle quali rimane un alone di incertez-za**: non di rado in questi casi ciò che avete dedotto dalla vostra esperienza non è sufficiente o è addirittura fuorvian-te, ed è meglio controllare sul vocabolario il senso preciso del termine.

• **Attenzione ai termini troppo generici: dicono troppo, e dunque troppo poco.** Se volete esprimere il vostro pensiero e non un'approssimazione qualsiasi, ci vogliono i termini giusti. Allenatevi a usare questi ultimi, sia quando scrivete che quando parlate.

• **Attenzione a non obbedire alla pigrizia o all'imbaraz-zo, tralasciando di migliorare il vostro lessico**: se sentite usare una parola che non conoscete, non vergognatevi di chiederne il significato, oppure di prendere nota di eventuali dubbi per scioglierli a casa con il vocabolario.

• **Attenzione a non fidarvi di qualsiasi fonte**: non sempre l'importanza sociale è garanzia di autorevolezza e di qualità. Molti «comunicatori pubblici» (anche se non tutti), politici, personaggi televisivi e giornalisti, fanno nel parlare e nello scrivere ogni tipo di errore di forma e di significato. La pubblicità è anche peggio. Tutto andrebbe «bene» se ormai non ci fosse più nessuno per accorgersi degli errori che fate voi; ma le persone con cui avete a che fare nella vita di tutti i giorni, e quelle che talora vi devono valutare, non sono tutte così ignoranti.

2.

Le parole straniere

Vantaggi e pericoli di un'arma a doppio taglio

L'italiano che parliamo tutti i giorni non è fatto solo di parole italiane. In tutte le epoche la nostra lingua ha accolto parole appartenenti alle lingue delle culture con cui veniva in contatto, come del resto molte lingue hanno preso a prestito parole italiane, soprattutto (ma non soltanto) nel campo della musica, della cucina e delle belle arti. Molti forestierismi sono stati adattati in modo tale da non sembrare più parole straniere, come per esempio *guardare*, *brio* o *equipaggio* (rispettivamente dall'antico germanico, dallo spagnolo e dal francese). Questo avveniva in misura maggiore in passato, quando la conoscenza delle lingue straniere era una rara eccezione. Oggi molti conoscono una lingua straniera, e comunque sono abituati a fare i conti con l'abbondante lessico straniero che serpeggia in tutti i campi della vita moderna. Basta pensare alla musica (le parole e i titoli delle canzoni), a moltissimi prodotti di consumo (le confezioni dei generi di importazione), alla pubblicità. Inoltre sempre più persone fanno viaggi all'estero, e non pochi guardano la televisione via satellite. C'è poi chi si trasferisce all'estero per lavoro, e ci sono molti stranieri che per la stessa ragione vivono in Italia. Tutto questo, insieme al fatto generale che il livello medio di istruzione si sta alzando, rende più facile che nella nostra vita quotidiana facciamo uso di parole straniere. Secondo alcuni questo è un male, secondo altri è un bene.

Talvolta le parole straniere permettono di parlare in maniera più rapida e precisa, di indicare l'oggetto che si ha in mente con il termine che meglio o più in breve lo designa. Per esempio, sarebbe molto scomodo fare a meno di termini come *leasing* o *joint venture* nel campo dell'economia, perché le corrispondenti espressioni italiane risulterebbero meno chiare e più lunghe. Nel caso di *chip*, che appartiene al linguaggio dell'informatica, l'equivalente italiano è chiarissimo, ma comunque molto più lungo: *microprocessore*. Lo stesso vale per *bootstrappare*, che ormai è spesso usato per designare l'esecuzione delle varie routine di avvio di un computer. Ma il termine è così orrendo che forse sarebbe meglio adoperarlo con cautela ed esclusivamente fra addetti ai lavori.

L'uso di termini stranieri è così comune che forse qualcuno non avrà nemmeno notato che poche righe sopra ne abbiamo usati due: *routines* e *computer*. Il primo, di origine francese anche se importato attraverso l'inglese, richiederebbe almeno due parole italiane per sostituirlo (per esempio: *procedure ripetitive*). Il secondo ha soppiantato concorrenti come *calcolatore* e *elaboratore* senza apparenti motivi, trasportato sull'onda del prestigio che ha l'inglese nel mondo dell'informatica. Questo ci induce a una riflessione. La funzione di brevità e chiarezza riguarda molte parole straniere, ma non tutte. Altre sono preferite alla parola italiana per motivi diversi. La loro funzione non è quella di esprimere meglio o più brevemente un concetto. È piuttosto quella di «vestire» quel concetto di un alone straniero. Le parole inglesi danno per lo più sapore di modernità ed efficienza tecnologica: anche su uno scarpone da sci di marca italiana, *micro canting* suona più avveniristico di *microinclinazione*. Come vedremo nel capitolo 6, le parole francesi suggeriscono raffinatezza ed eleganza: *eau de Cologne* batte *acqua di Colonia* in fatto di profumi, e *lapin* batte nettamente *coniglio* se si tratta di pellicce. Il tedesco *Weltanschauung* non si limita a significare 'visione del mondo', ma evoca anche il clima e il contesto filosofico in cui questo concetto è stato sviluppato. Più in generale, non si può negare che la presenza delle parole straniere nel nostro lessico rappresenta un arricchimento delle nostre possibilità espressive. Usare molte parole straniere significa spesso poter esprimere concetti che l'italiano non esprime, o almeno ammantarli di sfumature diverse.

C'è poi un'altra funzione delle parole straniere, che stavolta riguarda l'immagine della persona che le usa più che il contenuto di ciò che dice. Usare forestierismi è segno di cultura internazionale, e dà l'impressione che chi lo fa possieda competenza professionale e perfino agilità di pensiero. Di qui la tentazione di usarne molti.

Ma le parole straniere sono anche delle armi a doppio taglio. Usarle bene può essere utile e può fare buona impressione, ma usarle male è molto peggio che non usarle affatto. Farne sfoggio quando è chiaramente inutile è un gioco che si scopre subito, e si può essere presi meritatamente in giro. D'altra parte, anche quando il tono e l'argomento del discorso lo consentono o perfino lo richiedono, bisogna stare attenti a non usare espressioni straniere a sproposito. Si cadrà nel ridicolo davanti a coloro che ne sanno più di noi. Dunque, conviene usare solo quelle che si conoscono davvero. Vediamo insieme alcune trappole in cui è facile cadere.

Non usarle alla cieca

In generale, è meglio non dare mai per scontato di sapere. Molte persone usano parole straniere che non conoscono, oppure che non hanno mai viste scritte, e che dunque storpiano nei modi più buffi. Questo avviene in modo particolare per le parole non inglesi, dato che la conoscenza di massa dell'inglese si è innalzata enormemente di più di quella delle altre lingue.

Per esempio, mettetevi una mano sulla coscienza e confessate: avete mai detto *purpurrì*? Come minimo l'avete sentito dire. Vedo la scena.

Tizio a un concerto, atteggiandosi a intenditore: *Il Maestro è fin troppo eclettico. Spazia da Bach a Boulez. Anche il programma di stasera è variegatissimo, un vero purpurrì.*

Alcuni lo ascoltano senza batter ciglio ma altri, proprio quelli alla cui approvazione teneva di più, si lanciano un'impercettibile occhiata d'intesa.

Un sorrisetto di condiscendenza scava il piccolo abisso fra chi ha parlato e quelli che sanno quanto segue:

L'espressione è francese. Significa letteralmente 'piatto marcio', in cucina 'stufato misto di carni e verdure', e fuor di cucina per metafora 'miscuglio, guazzabuglio'. Fin qui tutto bene. Ma si scrive **pot-pourri**, e si pronuncìa *popurì*, non *purpurrì*. Sulla storpiatura casca l'asino, e si intravede che chi ha usato il francesismo sapeva a malapena cosa stava dicendo. Era meglio per lui usare una parola italiana.

Una sorte simile capita a quegli ottimi e originalissimi intermezzi culinari francesi che consistono in un piccolo bicchiere di pasta sfoglia con ripieni morbidi di varia natura. Sono molto di moda nei pranzi di una certa pretesa, ed è proprio il caso di dire che sono sempre più sulla bocca di tutti. Molti li chiamano *vulvàn*, *vulvòn*, *volavàn* o *vulovòn*. Invece si chiamano **vol-au-vent**, che vuol dire 'volo-al-vento'. Il nome allude (con qualche esagerazione) alla loro elegante leggerezza. La pronuncia non è per niente difficile: si dice *volovòn*, con la *o* aperta (una via di mezzo fra *a* e *o*) e molto nasale (ma questo parlando in italiano si può benissimo trascurare) e la *n* quasi non pronunciata.

Forse è più raro, ma è altrettanto istruttivo il caso di *in surplace*, che si sta diffondendo fra le persone quasi colte. Compare in espressioni tipo: *ormai sono così esperto che una cosa del genere la faccio in surplace*, oppure: *se stai lì troppo a pensarci non ci riuscirai mai. Questa cosa va fatta di getto, in surplace*.

Di per sé la parola francese *surplace* esiste, si pronuncia *sürplàs*[1] e significa 'sul posto'. Sia in francese che in italiano appartiene al linguaggio del ciclismo, e designa la posizione di equilibrio da fermo, con i piedi sui pedali, che un bravo ciclista riesce a mantenere anche molto a lungo. Ma la parola francese che tutti credono e intendono usare in frasi come quelle che

---

[1] Usiamo qui, per trascrivere la vocale francese che si scrive *u* ma ha pronuncia intermedia fra *i* e *u*, la grafia *ü* che adotta il tedesco per la stessa vocale. Molti italiani hanno difficoltà a pronunciarla, e al suo posto dicono *iu*. Per esempio, *viustel* al posto di *würstel*.

abbiamo detto è un'altra. **Souplesse** si pronuncia *suplès*, vuol dire 'morbidezza, scioltezza, agilità', ed è molto usato nell'espressione *en souplesse* 'con facilità', da cui è ricalcata l'espressione italiana colta ed elegante *in souplesse*. La somiglianza dell'espressione ciclistica fa sì che molti, non sapendo il francese, si confondano e volendo dire: *quest'esame lo passo con facilità* dicano: *quest'esame lo passo in equilibrio sulla bicicletta, da fermo e senza staccare i piedi dai pedali*.

Abbiamo detto che è meglio non usare parole ed espressioni straniere che non si conoscono bene, perché è facile fare degli sbagli. Naturalmente esiste un'altra possibilità: informarsi di qual è la lingua da cui provengono, per poi cercare grafia e pronuncia corrette su un vocabolario.

Non è detto che sia inglese

Chi non sa almeno un po' di inglese? Anche chi non lo ha studiato finisce per orecchiarlo alla televisione, nei testi delle canzoni, nelle frasi a effetto della pubblicità. In compenso ben pochi sanno il francese e il tedesco, che sono le lingue principali dei paesi che confinano con l'Italia, e sono anche, con l'inglese e lo spagnolo, le lingue più diffuse e importanti nell'Europa occidentale.

Questo fatto ha una conseguenza. Spesso la pronuncia delle parole straniere fa sorridere coloro che conoscono davvero le lingue. Il problema è particolarmente drammatico per i nomi propri, perché non si può scegliere di usare una parola italiana al loro posto. Facciamo alcuni esempi.

☞ Sull'ultimo volume del libro di storia delle scuole superiori si incontra la Repubblica di Weimar, che ebbe breve vita in Germania nel periodo fra le due guerre mondiali. Forse non tutti sanno che si dice *vàimar* e non *uèimar*. Ma qualcuno lo sa, anche fra i vostri amici e colleghi. La pronuncia giusta fa molto migliore impressione.

Paul Klee, il grande pittore, è nato a Münchenbuchsee,

nella Svizzera tedesca. Perciò il suo nome non va pronunciato *pòl clii* come se fosse inglese, ma alla tedesca, cioè esattamente come suggerisce la grafia: *pàul clee* (con la *e* lunga e chiusa). La pronuncia sbagliata dà l'irrimediabile sospetto che chi sta parlando conosca superficialissimamente e solo per sentito dire il pittore e la sua opera.

Immanuel Kant, il grande filosofo, è nato a Königsberg (l'odierna Kaliningrad). Quella città era tedesca, e il suo tedeschissimo nome significa 'montagna del re'. Kant stesso parlava e scriveva in tedesco. Dunque bisogna pronunciare *cànt* e non *chènt*. Tra l'altro c'è il vantaggio di distinguerlo dal giovane giornalista (di nome Clark) che quando entra in una cabina del telefono ne esce in tutina da Superman.

Lo stesso destino di anglicizzazione tocca spesso ad altri filosofi. Edmund Husserl si chiamava proprio *èdmund hùsserl* (la *h* andrebbe pronunciata, come anche in Hegel), e non *èdmand àsserl*. Karl Jaspers si chiamava *iàspers* e non *giàspers*, e ancor meno *gièspers*. Il fondatore della psicologia analitica, Carl Gustav Jung, si chiamava *iùng*, e non *giàng*. Ma questo lo sbagliano in pochi, perché a nominarlo sono soprattutto gli addetti ai lavori.

Un errore «all'inglese» molto frequente è quello di non dire la *e* finale, che invece si pronuncia sempre nei nomi tedeschi. Perciò il cognome di Friedrich Nietzsche è *nìce* e non *nič*[2]. Quello di Wolfgang Goethe è *göte*[3] e non *ghét*. Johann Gottlieb Fichte si chiamava *fichte* e non *fìct*. Detto per inciso, pronunciare il *ch* tedesco è difficile per alcuni, ma certamente fa molto migliore impressione uno che dice *Bach* di uno che dice *bac*.

Dai filosofi e dai musicisti, passiamo alle automobili. Le Mercedes si fanno in Germania, perciò forse sarebbe meglio leggere la *c* alla tedesca: *merzédes*. Ma si capisce che italianizzare il nome di un oggetto tedesco piuttosto comune anche da noi

---

[2] Il segno ˘ sopra la *c* indica qui, come nella trascrizione delle lingue slave, che essa va pronunciata come in *cielo* e non come in *cane*.

[3] La ö sta qui (come in tedesco) per una vocale intermedia fra *o* ed *e*.

è meno grave che leggere all'inglese il nome tedesco di un severo filosofo. Se lo stesso criterio che abbiamo adottato per Nietzsche e Fichte volessimo applicarlo alle automobili, bisognerebbe dire *pòrsce*, pronunciando la *e* finale, e non *porsc*. In effetti i tedeschi, che fabbricano le Porsche, le chiamano così. Ma sarebbe forse una pedanteria eccessiva fare esattamente come loro. In tutte le cose ci vuole senso della misura.

In generale, si può dire che non è grave semplificare la pronuncia di un nome tedesco, rendendolo più facile per noi italiani. Invece è proprio ridicola la sostituzione con la pronuncia inglese. Dunque, cada pure la *H* di *Hegel* se vi riesce difficile pronunciarla, e dite pure *ùsserl*. Non occorre, e anzi suona piuttosto pedante pronunciare la *h* di Schopenhauer, anche se i tedeschi lo fanno. Purché non diciate *klì*, *chent*, *nìčč*, *ghét* e *àsserl*. Poco servirebbe, a quel punto, pronunciare la *h*. *Hàsserl* non è meno buffo.

Anche il francese è vittima dell'inglese. Alphonse Donatien, marchese de Sade, con lo stile di vita e gli scritti filosofico-letterari ha dato suo malgrado il nome a quell'atteggiamento di ogni tempo che chiamiamo sadismo. Bene, lui era francese, e il suo cognome si pronuncia *sàd* e non *séid*, come fanno alcuni.

Oggi in molti ambiti professionali è comune seguire corsi di aggiornamento o fare periodi di tirocinio. Esiste una parola francese che designa questo genere di iniziative. La parola è **stage**, e si pronuncia *stasg*[4]. Per lo più viene invece pronunciata all'inglese *steiǧ*. In inglese però il significato di questa parola è diverso. Vuol dire 'piattaforma', 'palcoscenico', oppure 'stadio, livello di sviluppo'. Se dunque si ha in mente un periodo di tirocinio, meglio sarebbe pronunciare questa parola alla francese... come ovviamente fanno gli inglesi.

---

[4] La grafia *sg* vuole suggerire, per analogia con *sc* (es: *scemo*, *sciare*), la spirante palatale sonora che manca in italiano (ma non in alcuni dialetti, come per esempio nel fiorentino *agio*, *bigio*, ecc.). Si tratta del suono contenuto nel nome d'uomo francese *Jean* (come in *Jean Alesi*) e nella parola per 'rosso', *rouge* (come in *Moulin Rouge*).

Un destino analogo è capitato a quel foglietto pieghevole e di solito molto colorato che illustra prodotti in vendita e ancora più spesso località turistiche. Si chiama **dépliant**, con parola francese che significa appunto 'pieghevole'. La pronuncia giusta è circa *depliòn*, con l'ultima sillaba uguale a quella di *vol-au-vent*, di cui abbiamo parlato prima, cioè con una via di mezzo fra *a* e *o* nasale. Insomma la *t* finale si scrive ma non si pronuncia. Quanto all'accento sulla *e*, in francese ha solo la funzione di avvertire che la vocale è chiusa (come nell'italiano *pera*) e non aperta (come in *cielo*). Perciò, come tutte le parole francesi, *dépliant* va accentato sull'ultima sillaba. Ancora una raccomandazione: il plurale ha la *s* finale, ma nemmeno quella si pronuncia. Insomma, rifuggite dal dire *dèplian-t-s*.

Perfino il nonno latino è travolto nell'allegra danza dell'inglese trionfante. Su manifesti e volantini ambientalisti e ben intenzionati occhieggia l'invito a osservare e rispettare gli animali nei loro *habitats* naturali. Strano destino per una parola che non era nemmeno nata come sostantivo, bensì come verbo, e che si ritrova il plurale fatto all'inglese! Infatti **habitat** in latino significava 'abita', e dunque, in liste compilate in latino scientifico dai primi zoologi moderni, seguiva il nome di ciascun animale introducendo la descrizione dell'ambiente dove questo vive. Per esempio:

Coccodrillo: abita (*habitat*) zone calde, palustri o fluviali...
Renna: abita (*habitat*) zone fredde, con ampi spazi aperti...
Lombrico: *habitat* sotto terra...
Sarago: *habitat* acque salate e temperate...

Di qui a diventare sinonimo di 'ambiente' il passo era breve. Ma chi gli avrebbe detto che un giorno il suo plurale si sarebbe fatto come quello di *river*, *mountain*, *meadow* e *wood*? Prima che sia troppo tardi, è necessario l'impegno di tutti a tutela di questa parola. L'italiano, erede per eccellenza del latino, può e deve restare un'oasi di protezione in cui *habitat* non è una parola inglese.

Quando un testo a stampa contiene degli errori che non si possono più correggere perché appunto è già stampato, c'è un solo rimedio: aggiungere una pagina apposta con la correzione degli errori, completa di indicazione delle pagine e delle righe dove compaiono e preceduta dall'istruzione: **errata corrige**, che in latino significa 'correggi le cose sbagliate'. Si tratta di un uso sempre più raro, non perché i libri non contengano più errori di stampa, ma perché non è più considerato segno di grave maleducazione vendere a qualcuno un libro con degli errori. Certe finezze da gentiluomini hanno fatto il loro tempo. Sembra che questa crisi abbia coinvolto anche l'espressione latina, perché io stesso con le mie orecchie ne ho sentito pronunciare più di una volta l'ultima parte all'inglese, e l'ho perfino vista scritta di conseguenza: *errata corridge*. Come *Samuel Coleridge* e il *porridge* del mattino.

Declinare o non declinare?

Se una parola è plurale, ce ne accorgiamo. Ma anche se appartiene a un'altra lingua?

Non di rado si sente dire: «*guarda che bel murales*»; oppure: «*facciamo un murales per protestare contro...*». L'intenzione sarà sicuramente buona, ma l'uso della parola no. Infatti in spagnolo **murales** è plurale. Vuol dire '(pitture) murali'. Naturalmente esiste anche il singolare, *mural*, che da noi non è molto usato e può sembrare pedante. A chi la pensa così suggerirei di usare l'italiano *murale*, riservando la parola spagnola al solo plurale.

Destino analogo capita ai **viados**, 'uomini di strada'. È possibile che la polizia fermi alcuni *viados*, ma quando ne ferma uno solo si tratta di un *viado*, al singolare.

Poi ci sono i **silos**, costruzioni per lo più cilindriche destinate all'immagazzinamento di cereali e simili. Il singolare è *silo*, anch'esso parola di origine spagnola. *Un silos* si sente dire spesso, ma è sbagliato come *un depositi* e *una stalle*, non si può dire.

Queste parole designano cose o persone di cui si parla spesso al plurale. La forma del plurale è dunque quella che si sente più frequentemente, e rimane più impressa. Essendo straniera, però, non è chiaramente riconoscibile come plurale, e qualcuno crede che vada bene anche per il singolare. Questo non capita solo alle parole spagnole. Non è raro sentir dire che qualche cantante ha eseguito un **Lieder**, per esempio di Schubert. Ma il singolare è *Lied*, parola tedesca che significa 'canzone, lirica'. A trarre in inganno è il fatto che di solito ne vengono composti o eseguiti più di uno, e quindi è più comune che vengano menzionati al plurale. I *Lieder* di Schubert superano il migliaio!

I **mass media** sono molto importanti, e ormai sono anche molto numerosi. Ma quando se ne deve nominare uno, è piuttosto goffo chiamarlo *un mass media*, perché il termine è plurale. Ci giunge infatti dal latino attraverso l'inglese che ha creato un miscuglio: *mass* è inglese e vuol dire 'massa'; *media* è latino passato in inglese, e vuol dire 'mezzi'. Il singolare perciò, per chi parla inglese e ancor più per noi che parliamo una lingua erede del latino, è *medium*. Un mezzo (di comunicazione) di massa è perciò un **mass medium**. Gli inglesi e gli americani rispettano questo fatto molto più di noi. A voi la scelta (che riguarda anche il plurale) se pronunciare le vocali all'italo-latina o all'inglese: *mas medium* o *mas midiam*.

Ma il problema forse sta a monte. Siamo sicuri che dire *mass medium* sia una buona cosa? Il plurale è ormai usatissimo e come variante abbreviata di *mezzi di comunicazione di massa* non funziona male. Ma il singolare è rarissimo, molti non lo conoscono affatto (e per questo usano il plurale al suo posto), e nel complesso suona pedante, affettato. Dà l'impressione che chi parla voglia ad ogni costo farcire il suo discorso di parole straniere, anche se non servono. Per evitare questa sensazione, al singolare si può usare l'espressione italiana. Dunque,

sing. = **mezzo di comunicazione (di massa)**
plur. = (**mass**) **media**.

Talvolta è meglio non declinare. Come abbiamo visto, mentre non c'è niente di male a dire o scrivere *l'habitat di un animale*, è meglio evitare *i suoi habitats*, con un plurale inglese in -*s* poco appropriato a una voce latina.

Per mettere in pratica

L'italiano è uno strumento per esprimersi. Un ottimo strumento, se ben usato. Arricchire il proprio italiano di parole straniere significa potenziarlo. Ma allora, al pari di ogni strumento potenziato, richiede una maggiore cautela nell'usarlo. Come dicevano gli antichi, *corruptio optimi pessima*, il cattivo uso delle cose migliori è la cosa che fa più danni, anche più del cattivo uso di quelle mediocri. Insomma, meglio parlare un italiano semplice che si padroneggia davvero, anziché cercare di farcirlo di parole straniere storpiandole ad ogni piè sospinto.

☞ Dunque, se si vogliono usare delle parole straniere, bisogna seguire almeno queste tre regole:

• **Non accontentatevi del significato che la parola sembra avere per le persone a cui la sentite usare**: potrebbero sbagliarsi loro, potreste interpretare male voi. Meglio controllare sul vocabolario (tra l'altro i migliori vocabolari italiani riportano in numero sempre crescente i forestierismi di uso comune).

• **Non accontentatevi della pronuncia che sentite in giro**: spesso è sbagliata. Controllatela sul vocabolario[5] o chiedendola a qualcuno che sa davvero la lingua.

• **Se volete usare una parola straniera di cui non siete sicuri, assicuratevi che chi vi ascolta non sia in grado di**

---

[5] Per fare questo non basta una lettura impressionistica della trascrizione fonetica. Occorre impratichirsi dei simboli della trascrizione, che di solito è data in IPA (*International Phonetic Alphabet*, cioè Alfabeto Fonetico Internazionale). Questi simboli sono spiegati in un'apposita pagina del vocabolario.

notare un vostro errore. Nel dubbio, astenetevi: l'italiano ha pur sempre circa 100.000 parole fra cui scegliere!

In questo capitolo abbiamo fatto solo alcuni dei moltissimi esempi che si potrebbero fare di come la non perfetta conoscenza di un'espressione straniera possa portare a usarla in malo modo. Lasciamo al lettore il gusto di scoprire nella vita di tutti i giorni molti altri esempi. Gli auguriamo soprattutto di scoprirli in bocca ad altri e non a se stesso. Certi modi di esprimersi possono tentare, perché è bello mostrarsi colti e «attrezzati», specie in un mondo in cui il livello medio della cultura sale incessantemente. Ma come abbiamo detto le armi più potenti sono anche le più pericolose. Andateci con i piedi di piombo, e non dovrete guardarvi dai sorrisetti di quelli che sanno più di voi. Per usare la spada laser senza farsi male è indispensabile essere un cavaliere Jedi (questo pronunciatelo come vi pare).

3.

Precisione di linguaggio e linguaggi scientifici

Forma e sostanza

Esiste la generale convinzione che la sostanza sia più importante della forma[1]. Fin qui niente di male, perché quasi sempre questo è vero. Ma alcuni ne traggono una certa noncuranza per la forma, e sbagliano perché non tengono conto di un fatto sicuro: esiste un rapporto molto stretto fra la forma e la sostanza. Non solo la sostanza si riflette nella forma, ma spesso la forma si riflette sulla sostanza, influenzandola. Questo è particolarmente vero per il linguaggio, come mostra ogni discorso ed ogni discussione sia in pubblico che in privato.

In primo luogo, per essere sicuri di avere trasmesso un concetto ai nostri interlocutori non è affatto sufficiente che lo avessimo ben chiaro in testa noi. Bisogna proprio essere stati chiari nell'esporlo.

In secondo luogo, spesso la mancanza di chiarezza nell'esporre tradisce anche una certa confusione nel pensare. E ogni sforzo per rendere più chiara l'esposizione non solo ha per risultato una migliore comprensione da parte di chi ascolta, ma anche e soprattutto ha l'effetto di far nascere una maggiore chiarezza nella testa di chi espone.

Per esempio, se un amico vuole descrivermi il giardino di una casa che ha visto e che mi propone di comprare, potrà dirmi: *si entra attraverso un viale alberato*. Così facendo, avrà usato un termine piuttosto generico, *alberato*, mentre avrebbe

---

[1] Il binomio forma-sostanza, per quanto molto comunemente evocato, è frutto della contaminazione fra categorie diverse. La tradizione filosofica, a partire da Aristotele, oppone la forma alla materia e la sostanza all'accidente.

potuto specificare il tipo di alberi. Sembra solo una questione di forma, ma non lo è. Io così avrò appreso che c'è un viale d'ingresso, e potrò immaginare abbastanza bene il suo aspetto in estate, ma non saprò come si presenta in autunno e in inverno. Invece, se l'amico fosse stato più preciso e avesse detto *un viale di lecci*, saprei che è sempre verde. Se avesse detto *un viale di platani*, saprei che ingiallisce d'autunno e si spoglia d'inverno. Se poi avesse detto che erano ciliegi, saprei che in primavera posso contare su un viale fiorito, e all'inizio dell'estate su succosi frutti. Se l'amico non è stato più preciso, probabilmente è perché non è lui a dover comprare la casa. Dunque, non si è posto il problema del viale con la stessa concretezza con cui me lo pongo io. Per lui non è così importante sapere precisamente come stanno le cose, e ha potuto accontentarsi di un termine generico. La forma è inseparabile dalla sostanza.

Parole specializzate

Il sig. Mario Rossi mangia, dorme, cammina, ride, coccola i figli, litiga con la moglie, gioca a tennis e quando è sulla spiaggia prende il sole o costruisce castelli di sabbia. Inoltre guida la macchina, fa la dichiarazione dei redditi... insomma, è una normale persona. Ma quando entra in fabbrica, inizia a fare esclusivamente il saldatore. Questa è la sua specializzazione.

Ci sono parole che in particolari ambiti d'uso prendono significati speciali. Da generiche diventano specifiche, e cominciano a significare qualcosa di molto preciso e molto ben individuato. Si specializzano, proprio come il nostro signor Rossi. E allora, non ci si può illudere che conservino il loro senso generico. Bisogna usarle solo se si vuol dire proprio quella speciale cosa.

Per esempio, si riconosce subito il dilettante in un cronista sportivo che si esprima così:

Baggio avanza sulla destra e tira verso Del Piero.

Quando una pedata non indirizza il pallone verso la porta, bisogna essere completamente fuori dal mondo del calcio per chiamarla *tiro*. Solo in porta si *tira*. Ai compagni si *passa*. Si potrebbe obbiettare che fa poca differenza, che conta la sostanza e non la forma, che si capisce lo stesso benissimo quello che è successo. Ma sarebbero obbiezioni superficiali. Infatti un tiro è diverso da un passaggio non solo perché è diretto in porta, ma anche perché ha l'intenzione di esservi diretto, e dunque di solito è quanto più violento possibile (fanno eccezione pallonetti e altri preziosismi designati mediante termini appropriati). Di conseguenza l'immagine è quella di Baggio che tira nella direzione di Del Piero una gran sventola che non somiglia per niente a un passaggio. Insomma, probabilmente la sua intenzione era di tirare (in porta, appunto), ma ha sbagliato mira e la palla si è diretta verso Del Piero solo accidentalmente. In simili condizioni probabilmente il povero Del Piero non avrebbe *agganciato*.

L'ascoltatore potrà cadere nell'equivoco; ma se è un po' sveglio capirà che Baggio voleva ed è riuscito a passare a Del Piero; e classificherà chi ha parlato fra quelli che non si intendono di calcio.

Questi, dal canto suo, ha potuto esprimersi così solo perché non ha mai riflettuto sulla differenza che c'è, nella preparazione e nell'esecuzione, fra passare a un compagno e tirare in porta. Chi gioca a calcio sa che si tratta di due cose molto diverse. Insomma, la mancata distinzione sul piano della forma linguistica denuncia la mancata distinzione sul piano dei concetti. Se invitassimo il nostro immaginario cronista dilettante a confrontare gli usi che fanno i cronisti veri dei termini *passare* e *tirare*, probabilmente arriverebbe alla conclusione che anche nella sostanza esiste una distinzione fra le due operazioni. Forse è quello che è avvenuto a qualcuno di voi leggendo questa pagina. Riflettere sulla forma aiuta a chiarirsi le idee sulla sostanza.

Naturalmente non solo nello sport, ma in tutti i campi dell'agire umano si verifica la specializzazione di alcune parole che nel linguaggio comune hanno un significato più vago. Questo serve a mantenere le distinzioni fra concetti vicini. Così vicini che a chi non se ne intende la distinzione può sembrare superflua. Ma superflua non è per chi fa sul serio. Se voi foste il comandante di una nave da guerra portaerei al largo di una postazione nemica e vi arrivasse dal comando supremo un ordine come il seguente, che cosa dovreste fare?

Iniziate alle 04.50 un intenso bombardamento della postazione nemica.

Si prepari a subire un processo militare l'ammiraglio fra voi che alle 4.50 avrà aperto il fuoco sul nemico con tutti i cannoni della nave. A differenza di un *cannoneggiamento* infatti, un *bombardamento* si effettua dall'aria. Il comando supremo voleva questo, e dunque occorreva, verso le 04.30, far decollare gli aerei ben carichi di bombe. Il cannoneggiamento dalla nave avrà avuto probabilmente l'effetto di mettere sul chi vive il nemico, ma impegnandolo solo sul ben difeso fronte marino e senza sollecitarlo a usare la contraerea, che è il suo punto debole. Probabilmente l'azione ideata dal comando supremo, di cui il bombardamento era una componente essenziale, fallirà. Forse perderemo l'intera battaglia, e magari anche la guerra.

☞ Non sempre le conseguenze di un errore terminologico sono tanto gravi. Per esempio, probabilmente essere derisi è il peggio che possa accadere nell'esercito a chi creda di poter usare il termine *fascia* per designare la *sciarpa* azzurra dell'ufficiale di servizio, il termine *berretto* per il *cappello* alpino o viceversa il termine *cappello* per il *berretto* delle altre armi; lo stesso vale del termine *piuma* per la *penna* del cappello alpino, e del patetico *stelline* per le *stellette* degli ufficiali. Comunque, essere derisi non è una cosa piacevole. Ma le conseguenze non sono nemmeno sempre leggere come quelle che abbiamo immaginato per una maldestra telecronaca sportiva. Per esempio a scuola gli studenti si beccano spesso dei brutti voti la cui causa è, più di quanto loro credano, in gran parte nella insufficiente ricerca della precisione e della correttezza terminologiche. E le occasioni per fare bella o brutta figura non capitano solo a scuola.

Talvolta la scelta delle parole giuste ci può servire a mostrare rispetto e amicizia verso qualcuno. È il caso del linguaggio tipico degli ecclesiastici. Se avete qualche dimestichezza con gli ambienti parrocchiali o con qualche movimento cattolico, vi sarete accorti che per molti termini del linguaggio comune (qualche esempio è nella lista A qui sotto) esiste un termine o un'espressione (lista B) che può essere conveniente usare se il nostro interlocutore è un ecclesiastico un po' «vecchia maniera»:

A	B
prete	sacerdote
papa	Santo Padre
Palestina	Terrasanta
il vestito da prete	l'Abito
le letture	la Liturgia della Parola
la predica	l'omelia
domenica	il giorno del Signore
farsi prete	pronunciare i voti
suora	Sorella
la gente	il Popolo di Dio
confessarsi	riconciliarsi con il Signore

Il significato non cambia, ma la scelta di un termine della lista B equivale a dire: «sì, porto rispetto, sono un bravo ragazzo, sto dalla parte della Chiesa contro quelli che le vogliono male». Vedete voi se è questo che volete esprimere.

Le parole della scienza

Tutte le discipline sviluppano un loro linguaggio specifico, in parte fatto di parole apposta, in parte fatto di termini della lingua comune che all'interno del linguaggio scientifico assumono significati tecnici.

Per esempio, che cosa significa la parola *normale*?

Per rispondere a questa domanda bisogna sapere chi l'ha posta, e in che contesto. A un amico straniero che ce lo chieda durante una semplice conversazione risponderemo che *normale* significa 'ordinario, comune, frequente'. Al professore di geometria o al compagno con cui stiamo ripassando quella materia risponderemo che significa 'perpendicolare'. Se qualcuno ci chiede cosa significa quest'aggettivo riferito alle soluzioni di sostanze chimiche in acqua, risponderemo che *normale* nelle scienze fisiche significa generalmente 'nelle condizioni di temperatura e pressione che a loro volta vengono definite convenzionalmente normali (15 gradi centigradi, 1 atmosfera)', e che in chimica «una soluzione si dice normale quando la concentrazione delle specie in soluzione è, per ogni litro di solvente, di 1 mole diviso il numero di valenza dello ione in questione». Se siamo in montagna e la domanda riguarda le varie vie possibili per salire su una cima, risponderemo che la via *normale* è l'itinerario d'accesso più facile (e per solito il più praticato) a una vetta. Sbizzarritevi voi a trovare altri impieghi della parola.

Questo esempio ci serve a constatare che il significato delle parole può precisarsi molto secondo i contesti d'uso. Se non si tiene conto di questo si rischia di comunicare una cosa per un'altra: se voglio dire a un alpinista che una certa via non ha niente di speciale e non è particolarmente bella, è goffo dirgli che «è una via normale», perché lui potrebbe invece capire che rappresenta il modo più semplice di salire in cima.

La specializzazione delle parole nei vari settori comporta dei rischi per il neofita. Il primo è di fare dei veri e propri errori, cioè di usare un termine credendo che abbia un certo significato, mentre invece ne ha un altro. Il secondo è di usare dei termini imprecisi quando ne esistono di più precisi. Naturalmente questo nuoce all'impressione che diamo di noi, e alla valutazione che riceveremo se stiamo sostenendo un qualche tipo di esame. Il terzo rischio è quello di esprimersi in maniera poco tecnica, di usare un linguaggio che, pur essendo corretto nei contenuti, denuncia la nostra estraneità alla disciplina. Anche questo dà di noi e della nostra preparazione un'impressione non buona. Al contrario, se siamo in grado di usare il linguaggio tipico degli addetti ai lavori, può capitarci di fare buona impressione anche se il contenuto di ciò che diciamo non è niente di speciale. Prima di addentrarci nel mondo delle discipline scientifiche, soffermiamoci ancora su un esempio tratto dal linguaggio dello sport. Ogni disciplina, ogni campo d'azione umano ha il suo gergo, usando il quale si dimostra di appartenere al novero di «color che sanno». Per esempio, durante una telecronaca dell'ultimo giro d'Italia un commentatore ha detto: «*vi ricordo che il concorrente che si trova in testa quando varca il traguardo si aggiudica la tappa*». Cosa ne pensate? A me inizialmente è sembrata una frase adatta alla circostanza. Poi però ho riflettuto: se avesse detto: «*chi arriva primo vince*», tutti avrebbero pensato che (a meno che stesse scherzando) quella era una banalità, che non c'era bisogno di un commentatore per dire delle ovvietà simili, e così via. Eppure il contenuto era lo stesso. Ma la frase impastata del gergo giusto fa atmosfera, è indizio di competenza, dimostra che chi sta parlando se ne intende. Anche se dice un'ovvietà inutile. E ancora meglio se condisce un discorso più sostanzioso. Dunque, conviene sempre adottare il linguaggio specifico del settore in cui stiamo operando. Specialmente se qualcuno mentre ci ascolta ci valuta, come accade spesso.

Veniamo dunque alle discipline scientifiche. Possiamo ordinare i difetti terminologici secondo la gravità. I più gravi sono i veri e propri **errori**, cioè i casi in cui viene usato un termine credendo che abbia un significato diverso da quello che invece assume nel particolare contesto scientifico. Per fare un esempio non scientifico, *tiro* per *passaggio*. Ci sono poi le **imprecisioni**, cioè i casi in cui il termine usato è più generale di quello che si sarebbe dovuto usare, e dunque non chiarisce del tutto di cosa si sta parlando. Esempio: *albero* per *leccio*. Infine ci sono le **gaffes**, cioè i casi in cui si usa un termine che pur non potendo generare confusioni è poco o per niente usato in quel campo, e dimostra che chi parla non è affatto del mestiere, non è abituato a muoversi in quel tipo di argomenti, insomma che la materia gli è decisamente estranea.

In questo paragrafo proporremo alcuni esempi di errori tipici in cui si può incorrere quando si usano i linguaggi di discipline diverse come la chimica, la matematica, la fisica, la biologia, la medicina, il diritto, l'economia, il restauro di opere d'arte e la filosofia. Molti altri esempi si potrebbero fare, tratti sia da queste che da altre discipline, ma quello che conta è **arrivare a capire il meccanismo dell'errore**, cioè quali sono i tipi di parole che pongono delle difficoltà, e a cosa occorre fare costantemente attenzione quando si usa un linguaggio specialistico.

Ebbene, la più importante cautela è quella di **non sottovalutare le distinzioni**: in molte scienze assumono rilevanza capitale distinzioni che nella vita di tutti i giorni passano inosservate.

Il solfato di rame ($CuSO_4$) è senza dubbio fatto di rame, zolfo e ossigeno. Tuttavia è un errore dire che sia un *miscuglio* di queste tre sostanze. **La parola *miscuglio* ha infatti in chimica un significato più ristretto** di quello che ha nel linguaggio comune, perché si oppone a *composto*, che designa un tipo di mescolanza molto particolare, in cui le varie sostanze che si mescolano lo fanno in proporzioni precisamente stabilite e istituendo fra loro dei legami chimici. Il solfato di rame è un composto di rame, zolfo e ossigeno. Si presenta in cristalli di colore azzurro intenso o, se in polvere, chiaro tendente al verde. Potremmo invece chiamare miscuglio ciò che si ottiene mescolando della polvere di rame (rosa) e della polvere di zolfo (gialla) in un'ampolla piena di ossigeno (incolore). Questo almeno finché non comincino ad accadere reazioni chimiche che diano luogo a composti.

Passiamo alla geometria, e consideriamo la figura 1:

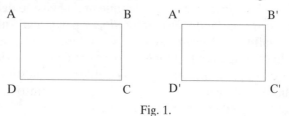

Fig. 1.

Parlando in maniera informale, si potrebbe dire che la figura mostra due rettangoli simili. Ma questo in termini geometrici significa qualcosa di molto preciso. Due poligoni si dicono *simili* quando hanno i lati ordinatamente proporzionali. Dunque i rettangoli ABCD e A'B'C'D' non sono simili, perché nel primo il rapporto fra il lato lungo e il lato corto è maggiore che nel secondo. Parlare in maniera informale a un esame di matematica può costare qualche voto. In altri contesti può costare soldi, o guai. Il rettangolo ABCD sarà invece simile, per esempio, al rettangolo A"B"C"D" della figura 2, che è più piccolo ma ha lo stesso rapporto di lunghezza fra i lati:

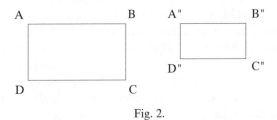

Fig. 2.

Passiamo ora nella geometria applicata alla fisica. Consideriamo due segmenti orientati, come per esempio i due vettori illustrati nella figura 3.

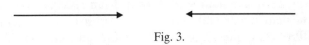

Fig. 3.

Non vi prenda la tentazione di dire che i due vettori della figura 3 hanno direzioni opposte. Dimostrereste di sapere poco dell'argomento, e dareste un'informazione sbagliata a chi vi ascolta. Anzi, un'informazione incomprensibile, perché geometricamente parlando non esistono direzioni opposte. Cosa potrebbe significare che due rette siano «opposte»? La direzione di un vettore è infatti la retta su cui esso si trova. Per esempio i due vettori, come mostra la figura 4, si trovano sulla stessa retta e dunque hanno *la stessa direzione*.

Fig. 4.

Cosa hanno dunque di opposto? Il *verso*, che è appunto il loro orientamento sulla retta, indicato dalla freccia. In fisica la distinzione fra direzione e verso è rilevante quanto in cucina quella fra sale e pepe.

Sconfiniamo un istante nelle scienze naturali. Una volta ho sentito dire che i pesci inghiottono l'acqua in modo che questa, passando attraverso le branchie, ceda l'ossigeno necessario alla loro respirazione. In realtà questo non può essere, perché *inghiottire* significa 'mandare nell'apparato digerente'. L'acqua che un pesce inghiotte non gli passa per le branchie. Potrà dissetarlo, se non si idrata a sufficienza per osmosi o comunque assorbendo acqua attraverso la pelle, ma il suo organismo non potrà estrarne ossigeno. L'aria che passa per le branchie viene *aspirata* dai pesci con un movimento delle branchie stesse, ma non inghiottita. La distinzione fra *aspirare* e *inghiottire* non è puramente accademica: è la distinzione fra processi materiali diversi. Perciò, se vi dicono che un grosso pesce ha aspirato il vostro anello di fidanzamento, dovete cercarlo nei dintorni. Se lo ha inghiottito, per rientrarne in possesso dovete assolutamente catturare il pesce.

Abbiamo nominato l'apparato digerente. Poniamo che vi dica che certi marziani sono forniti di un *sistema digerente*. Cosa ne deducete? Qual è la differenza fra *sistema* e *apparato*? La differenza è questa: un sistema è fatto tutto o quasi dello stesso tipo di tessuto, mentre un apparato si compone di organi fatti di tessuti diversi. Perciò noi umani abbiamo un apparato digerente, un apparato escretore e un apparato respiratorio, ma un sistema muscolare, un sistema nervoso e un sistema linfatico. I marziani nominati sopra avrebbero tutte le parti che concorrono alla digestione fatte dello stesso genere di tessuto. Usare questi termini uno per l'altro è un grave errore. Pensate che strani arcimboldi[2] saremmo se avessimo un appa-

---

[2] Dal nome del loro ideatore, si chiamano arcimboldi quelle figure dai tratti

rato muscolare, e che cattiva digestione ci aspetterebbe dopo ogni pasto con un sistema digerente! Notate come questa distinzione così netta all'interno del linguaggio scientifico lo sia invece meno nel linguaggio comune: parlando sempre della stessa cosa, posso dire che mio cugino ha ideato un complicato *sistema* per schiacciare le latte di alluminio, oppure un complicato *apparato*. In linea di massima *sistema* è più astratto e *apparato* designa proprio un marchingegno materiale: nel caso delle latte di mio cugino il sistema potrebbe essere una serie di mosse da fare con le mani o i piedi, mentre l'apparato è proprio un macchinario. Ma la distinzione non è così obbligatoria. Per esempio, si può dire: *ha sviluppato l'apparato mentale che serve per prendere 30 e lode a tutti gli esami*; oppure: *le sue scelte di vita non sono altro che un apparato per fare carriera*.

Abbiamo nominato anche l'osmosi. Una formulazione un po' rozza di questo meccanismo è che l'acqua passa spontaneamente dalla parte di una membrana semipermeabile dove ci sono meno sali in soluzione a quella dove ce ne sono di più. Insomma, come ho sentito dire più di una volta, la direzione del passaggio d'acqua dipenderebbe dalla quantità di sali dalle due parti. Questo non è esatto. Se ci troviamo a San Francisco e buttiamo in mare una piccola palla fatta di membrana semipermeabile contenente dell'acqua più salata di quella del mare, questa tenderà a gonfiarsi, anche se la quantità di sale contenuta nell'oceano Pacifico è maggiore di quella contenuta nella palletta. L'acqua passa da dove c'è minor *concentrazione* di sali a dove questa è maggiore, e non da dove è minore a dove è maggiore la *quantità* di sali. In altre parole, da dove la concentrazione d'acqua è maggiore a dove è minore. Se nella conversazione comune per lo più non occorre distinguere fra quantità e concentrazione, fra «ce n'è di più» e «è più concentrato», quando si parla di acqua, sali e membrane semipermeabili questa precisione diventa necessaria. Ne sanno qualcosa i pesci d'acqua dolce e quelli d'acqua salata, i cui metabolismi

umani che sono composte di soggetti da natura morta; per esempio di diversi frutti o di diversi ortaggi.

sono diversi anche per via delle opposte pressioni osmotiche a cui sono sottoposti. Se l'osmosi attraverso la loro pelle non fosse controbilanciata da altri fattori, i pesci di mare tenderebbero a prosciugarsi (modello aringa secca), e quelli di fiume a gonfiarsi (modello pesce palla).

Il linguaggio giuridico pullula di convenzioni terminologiche che possono indurre in errore l'inesperto. Per esempio, se siete proprietari di un alloggio potete darlo in affitto a chi vi pare; ma se siete degli studenti di giurisprudenza, è meglio che lo diate in locazione. Lo stesso se siete un avvocato. In contesti tecnici, la differenza fra *affitto* e *locazione* diventa rilevante. Infatti la locazione è in generale il godimento di un bene dietro corrispettivo (in denaro o altro), mentre il termine *affitto* è riservato alla locazione di beni produttivi, come per esempio un'azienda o un terreno agricolo, non un alloggio.

La stragrande maggioranza di voi non ha mai preso una multa. «Magari!» direte voi. Ma è proprio così. In compenso, avete pagato molte ammende. Infatti la *multa* è la pena pecuniaria prevista per i delitti, mentre per le semplici contravvenzioni si parla di *ammenda*. (Per il diritto italiano i reati si dividono in delitti, trattati specificamente nel II libro del codice penale, e contravvenzioni, trattate nel III libro.) Se foste stati riconosciuti colpevoli di concussione, peculato, oltraggio a un pubblico impiegato o astensione dagli incanti, avreste pagato delle multe. Per i divieti di sosta, erano solo ammende. C'è una differenza di dignità, e di portafoglio. Nella vita di tutti i giorni chiamare *multa* quella da eccesso di velocità va benissimo; ma se uno studente di giurisprudenza usa un termine per l'altro all'esame, la differenza la paga... in trentesimi.

È importante anche la distinzione fra *possessore* e *proprietario*: ha il possesso di un bene chi si comporta come se ne fosse il proprietario; anche se il proprietario è un altro. Se un signore con una molletta apre la portiera della mia spider, collega i fili giusti e parte per un fine settimana sulla costiera amalfitana, chi ha il possesso dell'auto? Lui. Insomma, se voglio che mi ritrovino la macchina non devo dire al giudice che ne sono il possessore, ma il proprietario. Il possessore è là, fra Amalfi e Sorrento, coi capelli al vento.

Una serie di parole che nel linguaggio giuridico si specializzano (come il sig. Rossi, saldatore) prendendo un significato tecnico è rappresentata dalle coppie *competente-incompetente* e *competenza-incompetenza*. Se il possessore della mia auto continua a spassarsela sulla costiera amalfitana, io potrei essere scontento dell'operato del giudice di cui sopra. Anzi, potrei essere tentato di lamentarmene. Però sarebbe un errore dire che quel giudice è incompetente. Infatti questo termine significa che il giudizio sulla mia macchina non gli compete, o per valore (è un giudice di cassazione, e non deve occuparsi dei furti di auto appena avvenuti), o per territorio (è il pretore di Cuneo, e io ho subito il furto a Roccasecca, in provincia di Frosinone). Insomma, nel caso degli organi giudiziari, la *competenza* e l'*incompetenza* non sono un fatto di bravura e di preparazione, ma di ambito in cui sono preposti ad agire.

Anche le scienze economiche sono un campo in cui le parole si specializzano. Si pensi a termini come *impresa* o *azione*, e al significato particolare che assumono all'interno di contesti economici. Perciò può accadere, come in tutte le scienze, che due termini che nel linguaggio comune sono sinonimi, in economia non lo siano più, ma servano ad esprimere una distinzione concettuale che ha un suo peso all'interno della disciplina. È il caso di *differenziazione* e *diversificazione*, che è sbagliato usare l'uno per l'altro. Se un'impresa decide di attuare una *differenziazione*, significa che cercherà di *differenziarsi* dalle concorrenti, per esempio realizzando prodotti che attualmente non si trovano sul mercato. Se decide di attuare una *diversificazione*, significa che intende *diversificarsi* al suo interno, cioè *diversificare* la sua produzione, aumentare la varietà dei prodotti o servizi che eroga oppure la varietà dei mercati su cui opera, per non rischiare di affidare le sue sorti a troppo pochi o addirittura a un solo prodotto su un solo mercato.

Per quanto riguarda il restauro di opere d'arte, se possedete dei quadri e li trovate un po' sporchi, potete provare a fargli un po' di *pulizia*, magari spolverandoli delicatamente con un panno asciutto o con un piumino. Vi sconsiglio invece di tentare una *pulitura*, che è roba da restauratori professionisti. Con questo termine, infatti, nel linguaggio del restauro dei dipinti, si designa l'asportazione della vernice finale del quadro, fatta con appositi solventi. Guai a fare confusione.

La parola *necessario*, nel suo uso comune, serve a qualificare cose di cui c'è bisogno. Ad esempio, per accendere il motore di una macchina è *necessaria* la chiave; se si è lontani da casa, per sfamarsi può essere *necessario* un panino. In un senso molto simile il termine è usato anche nella logica e nella matematica, per indicare la dipendenza di qualcosa da qualcos'altro: *A è condizione necessaria di B* significa che per il verificarsi di B è indispensabile che si verifichi A; in altre parole, B non può verificarsi se non si verifica A. **Nel linguaggio della filosofia** il termine *necessario* ha un significato diverso. Significa 'che è per necessità', cioè 'che esiste necessariamente, inevitabilmente; che non potrebbe non esistere'. Per esempio, l'Essere Necessario è, in una certa visione del mondo, Dio: colui che per definizione non può non esistere. In ogni concezione filosofica, il necessario è tutto ciò senza di cui la realtà non sarebbe pensabile, e la cui assenza è incompatibile con l'esistenza di ogni altra cosa. Ad esempio, secondo molti una legge necessaria del reale è il principio di contraddizione (spesso citato, meno correttamente, col nome di «principio di non contraddizione»), secondo il quale se qualcosa è A non può essere non-A. In questo senso il termine si oppone a *contingente*, che significa 'accessorio, eventuale, accidentale', cioè 'che esiste di fatto, ma dal punto di vista filosofico potrebbe benissimo non esistere'. Avrete capito che in certi contesti può essere incauto dire che qualcosa è *necessario*: infatti è difficile sostenere che la realtà non sarebbe pensabile, che l'intero universo dovrebbe sparire, se non esistessero le chiavi della mia macchina o il panino che mi sono portato allo stadio come merenda.

Piuttosto che nell'ignorare la differenza fra due concetti diversi, **le imprecisioni consistono nell'omettere una precisazione, cioè nel fornire informazioni troppo generiche, e perciò insufficienti**. Le imprecisioni sono poco meno gravi degli errori. Quando si usa un termine troppo generico, anche se non si dice qualcosa di propriamente errato, si lascia però la strada aperta all'errore. Per esempio, se devo avvitare una vite e chiedo a chi mi aiuta di passarmi «un attrezzo», non avrò chiesto la cosa sbagliata, ma il risultato con ogni probabilità sarà lo stesso che se avessi chiesto, poniamo, una pinza. Dovrò proprio chiedergli un cacciavite. Anzi, sarà meglio che specifichi se mi serve con la punta a croce o a taglio. Solo chi non sapesse che attrezzo serve per avvitare le viti potrebbe porre la richiesta in modo così generico.

Abbiamo visto che i linguaggi scientifici dispongono di una notevole precisione. Ebbene, non se ne può fare a meno. Assistendo a un'interrogazione di chimica in un liceo ho sentito affermare che un legame chimico «si istituisce fra due sostanze». Non si può dire che sia sbagliato, ma è impreciso. In base a questa descrizione potremmo immaginarci che prendendo due quantità a piacere di due sostanze chimiche e mettendole vicine, qualcosa leghi la prima massa con l'altra. Ma non è questo che accade. Il legame non è fra masse, ma fra atomi. È vero che gli atomi rappresentano ciascuno una sostanza, ma ci sono anche (moltissime) sostanze rappresentate da molecole fatte di molti atomi di diversi elementi; ed è solo molecola per molecola, attraverso gli atomi, che gli elementi (e le sostanze) si legano fra di loro. Inoltre, se consideriamo le nostre ipotetiche masse, è probabile che solo una parte degli atomi dell'una si leghi con una parte degli atomi dell'altra. Che senso può avere in questo caso dire che c'è un legame chimico fra le masse, o fra le sostanze? L'unico legame chimico che effettivamente si istituisce è quello fra i singoli atomi, e consiste nel fatto che questi si scambiano o mettono in comune degli elettroni. Da questo discorso si può trarre un consiglio, valido almeno nei contesti in cui si viene valutati: chi dica che il legame chimico si istituisce fra sostanze potrebbe anche dare l'impressione di non sapere con certezza cosa sia un legame chimico. Chi lo sa con certezza farà meglio a descriverlo con precisione, dicendo che si istituisce fra atomi facenti parte di molecole.

Chiedendo al suo professore di ricordargli le modalità di un esperimento, uno studente ha domandato in mia presenza «quali due componenti» servivano. Cosa intendeva dire? Che tipo di componenti? Lui certo lo sapeva, ma dalle sue parole non lo si poteva evincere. Il professore ha fatto rapidamente qualche ipotesi: forse buona volontà e destrezza? Forse una provetta e un becco bunsen? Forse temperatura e pressione? No, lo studente intendeva acido solforico H_2SO_4 e idrossido di calcio $Ca(OH)_2$. Insomma, voleva che il professore gli ricordasse quali erano i due *reagenti* impiegati in quell'esperienza. È vero che i reagenti possono essere fra le componenti di un esperimento che preveda una reazione chimica, ma non sono certo le sole. Dunque, se si hanno in mente i reagenti e si vuole che vengano in mente anche a chi ci ascolta, è meglio chiamarli con il loro nome.

☞ La tendenza degli studenti a usare un lessico troppo generico induce certi insegnanti a una vigilanza continua, che non sempre ha effetti positivi. Infatti qualche volta il termine generico è più corretto di uno dal senso preciso, se quest'ultimo non è proprio quello giusto. Una volta ho sentito svolgersi suppergiù questo dialogo:

Prof: Dicci cosa è un assioma.
Stud: Un assioma è un concetto che non viene dimostrato perché è evidente.
Prof: Attenzione, «un concetto» è troppo vago. È una **definizione** che non dimostriamo perché è evidente!
Stud: Sì.

Probabilmente dire che un assioma sia un concetto è davvero troppo vago. Non ogni concetto può essere assunto come assioma. Per esempio, 'la dolcezza di un bacio di Marina' è un concetto, e per chi è in buoni rapporti con Marina ha anche una certa evidenza, ma gli manca qualcosa per poter diventare un assioma. È che non asserisce niente. Invece 'per due punti passa una retta e una sola' è un'affermazione, ed ha anche carattere di evidenza. Dunque può essere assunta come assioma. Un assioma è dunque *un'affermazione* che non occorre dimostrare perché la sua verità è evidente. Altra cosa sono le definizioni, come per esempio «di un cono indefinito si dice *sezione normale* ogni cerchio ottenuto segando il cono con un piano perpendicolare all'asse». Qui non è questione di eventuali dimostrazioni o di evidenze. Si stabilisce convenzionalmente di dare un certo nome a una certa cosa. La professoressa della conversazione aveva ragione a voler precisare il termine troppo generico usato dallo studente, ma l'ha precisato con una parola sbagliata.

Un'imprecisione di lessico giuridico in cui è facile incorrere è quella di parlare di *reato* senza specificare se si tratta di *contravvenzione* o di *delitto*. Per esempio, non c'è niente di male a dire che «la legge punisce i reati». Ma se dico alla mia vicina di pianerottolo che quello del piano di sopra si è reso colpevole di parecchi rèati, rischio di darne un'immagine poco chiara e incompleta, che può generare malintesi. Infatti si potrebbe trattare di una persona che gioca d'azzardo, talora bestemmia in pubblico e si abbandona a schiamazzi notturni (tutte contravvenzioni); oppure di una persona dedita al furto, alla frode, al sequestro di persona, alla violenza carnale, all'associazione di stampo mafioso, all'omicidio e perfino al commercio con il nemico (tutti delitti). Be', speriamo che quello del piano di sopra sia del primo tipo.

GAFFES

Come abbiamo detto, non è solo sbagliando o lasciando un margine impreciso all'errore, che si rischia di fare brutta figura. **A volte è sufficiente che impieghiamo un termine o un modo di dire che un addetto ai lavori non impiegherebbe mai**. Immediatamente ci qualifichiamo come *out*, e poco importa se il termine non ha un senso errato e ciò che volevamo dire si è capito. In particolare in contesti professionali, oppure in sede di esame o di interrogazione scolastica, un lessico poco specialistico può dare l'impressione che non abbiamo dedicato molto tempo alla materia. Insomma, il rischio è di *apparire estranei* alla disciplina, e perciò, oltre che goffi, anche impreparati, a dispetto di ciò che realmente sappiamo.

Se uno studente non frequenta assiduamente qualche libro di chimica, succede che al momento buono non sempre gli vengano in mente le parole giuste. Può capitare allora che un atomo «*dia*» elettroni a un altro atomo che glieli «*prende*». Ho sentito perfino di un atomo che «*abbandonava*» certi elettroni a un altro che li «*catturava*». Esprimersi così non genera incomprensioni, ma nemmeno ammirazione per la propria competenza in materia. È molto più professionale dire che gli atomi *cedono* e *acquistano* elettroni. Del resto questa distinzione apparentemente solo formale non è un puro vezzo da addetti ai lavori: *dare* e *prendere* comunicano l'idea di una volontà e perfino di un gesto del porgere e dell'afferrare, che certo non sono propri degli atomi. *Abbandonare* e *catturare*, con le loro sfumature sentimentali e venatorie, sono ancora meno appropriati. *Cedere* e *acquistare* descrivono invece un passaggio di proprietà più astratto, che lascia più spazio all'idea che ci siamo fatti del rapporto fra atomi ed elettroni.

Al termine della risoluzione di una disuguaglianza, in mia presenza uno studente si è trovato con la seguente espressione:

$$-x + z > 0$$

A questo punto ha detto: *ora la rigiriamo, e otteniamo zeta meno ics maggiore di zero*. La professoressa ha alzato brevemente gli occhi al cielo, perché quel modo di esprimersi le è parso tipico degli studenti «senza speranza». Al posto di *la rigiriamo*, era meglio dire: *nel primo membro invertiamo gli addendi*, oppure: *per la proprietà commutativa (dell'addizione), scriviamo* $z - x > 0$.

I casi che abbiamo fatto sono quelli di termini che è meglio non usare perché fanno «inesperto». Qualche volta invece si può presentare la scelta fra un termine che va bene e uno che va anche meglio, e che dunque farà particolarmente buona impressione. Per esempio, sempre in chimica, non è scorretto in linea generale parlare di *sostanze*, ma se si vuole fare bella figura è ancora meglio parlare di *specie chimiche*. Oppure in matematica, per quanto non ci sia granché di male a parlare di un numero *con due decimali*, dà l'idea di una maggiore accuratezza il dire *con due cifre decimali*. Oppure, per quanto non sia grave esprimersi così: *un radiante è un angolo che ha un arco di circonferenza che rettificato è uguale al raggio*; è senz'altro meglio esprimersi in quest'altro modo: *un radiante è un angolo a cui corrispondono archi di circonferenza che se rettificati hanno misura uguale al corrispondente raggio*.

In tutti questi casi è sufficiente riflettere un minimo sull'esempio per rendersi conto di una cosa: alla base della preferibilità di un'espressione non c'è mai soltanto il desiderio di preziosismo verbale degli addetti ai lavori. C'è sempre anche la preferenza per il modo di esprimersi più preciso. Per esempio, non è che ogni radiante «abbia» un arco di circonferenza; ma è vero che ad ogni radiante possono esser fatti corrispondere degli archi di circonferenza. La prima formulazione è più concisa, ma leggermente fuorviante. In bocca a chi certamente sa quello che dice (per esempio un professore o uno scienziato), tutti la interpretano come un modo di parlare sintetico; ma in bocca a uno studente può far pensare che dietro ci sia qualche concezione errata. Per esempio, chi garantisce al professore che lo studente non identifichi il radiante con un settore circolare (fig. 5), credendo che ne faccia parte anche un arco di circonferenza?

Fig. 5.

Anche nel linguaggio giuridico, i termini *prestare* e *prestito* continuano a significare ciò che significano nel linguaggio comune. Ma esistono termini più tecnici. Se un mio amico va all'estero e lascia la sua macchina a un altro mio amico per un paio di mesi, potrò ben dire che gliel'ha prestata. Ma se invece di due miei amici devo occuparmi (in qualità di legale o di studente che risponde a un quesito d'esame) di due tizi che sono venuti a diverbio perché uno ha fatto un incidente con la macchina prestatagli dall'altro, allora può essere meglio dire che la macchina era stata data in *comodato*. *Comodato* non vuol dire qualcosa di diverso da *prestito*, ma chi usa questo termine specialistico dà l'impressione di essere «*in*», cioè di avere competenza giuridica; mentre chi usa il termine comune si qualifica come «*out*». Quando ad essere prestato è del denaro, non si deve dire *comodato*, tuttavia *prestito* rimane un termine poco professionale. Il termine tecnico, usato dagli addetti ai lavori, è: *dare in mutuo*.

Se le cose vanno bene alla mia azienda e ne parlo con un amico, niente mi vieta di dire che quest'anno ho avuto un buon guadagno. Se invece sto parlando in un contesto «tecnico», sia esso un incontro di economisti o un esame universitario, potrei apparire goffo usando la parola *guadagno*, mentre apparirei corretto e professionale parlando di *ricavo*, e addirittura accurato e forbito dicendo *utile d'esercizio*. Scegliete voi come volete apparire. Invece è più difficile dare consigli su cosa dire quando parlate con un funzionario del ministero delle finanze. Quella è una questione di coscienza.

Per mettere in pratica

A questo punto è opportuna un'osservazione. Fino adesso abbiamo insistito molto sull'importanza della precisione terminologica per dare una buona immagine di sé. Ma dagli esempi che abbiamo visto si dovrebbe capire che la correttezza terminologica non è solo una questione di «marketing», di autopromozione. Non serve soltanto a fare buona impressione, ma anche a tenere ordine e chiarezza nelle proprie idee. Chi si accontenta di esprimersi in maniera imprecisa può non accorgersi che anche nella sua mente certe distinzioni non sono chiare. Se chiamo *pianta* tutto ciò che ha fronde, posso andare avanti senza conoscere la differenza fra una quercia e un frassino; ma se mi sforzo sempre di dare a ciascuna cosa il suo nome preciso, sarò «costretto» a concentrarmi sulle differenze, e imparerò a riconoscere la quercia dal frassino, il pero dal ciliegio e il fico dall'ontano. Se mi accontento di chiamare *sistema* ogni complesso funzionale dell'organismo, potrei restare all'oscuro della differenza che c'è fra un sistema e un apparato. Lo stesso se alterno i due termini casualmente. Ma se riesco a usarli correttamente, questo significa che sono riuscito a capire bene che cosa sono.

☞ Dunque se qualcuno ci giudica da come ci esprimiamo non è solo un formalista. Piuttosto, costui sa che da come ci esprimiamo si può capire quanta chiarezza abbiamo in testa. Insomma, ai motivi «di apparenza» si aggiungono motivi di sostanza per attenersi a questi quattro «comandamenti»:

• **Quando si studia o si legge, fare molta attenzione alla terminologia delle varie discipline**. Non accontentarsi di capire i concetti, ma fare mente locale sulle espressioni.

• **Nel parlare, fare sempre grande attenzione a rispettare le distinzioni terminologiche**. Partire dall'idea (prudenziale, ma quasi sempre vera) che nei linguaggi scientifici non esistono sinonimi: se ci sono due parole diverse, allora anche i significati sono diversi.

• **Preferire sempre il termine dal senso più specifico**. Sforzarsi di avere chiaro nei particolari ciò che si vuole dire, e scegliere il termine che significa quello e soltanto quello. Non accontentarsi di termini generici il cui significato comprende anche altre cose.

• **«Assaporare» il tono appropriato a una disciplina, e cercare di adottarlo**. Non accontentarsi di essersi fatti capire, perché davvero non basta. Bisogna pretendere da se stessi di essere veramente *a proprio agio* con il linguaggio specialistico.

All'inizio può essere faticoso attenersi a queste regole, e la ricerca della parola giusta può talvolta richiedere tempo e sforzo. Ma dopo un po' che uno vi si applica con costanza, questo atteggiamento diventa una seconda natura, non costa più alcuno sforzo e anzi dà molta soddisfazione. Anche la loquela può essere allenata. Ci si può abituare a reperire le parole giuste nella nostra testa con sempre maggiore efficienza. Allora si entra in una nuova condizione, quella delle persone che parlano veramente bene. Ve ne accorgerete dal fatto che sempre più spesso la prima parola che vi viene in mente è... proprio quella giusta.

4.   Problemi di stile

Se un giorno usciste di casa con i pantaloni arrotolati sulla testa e le gambe infilate nelle maniche di un maglione, verreste ritenuti fuori di senno. Se invece indossaste pantaloni e golf al loro posto, ma di fattura orrenda, o anche semplicemente di colori che fanno a pugni (esempio: golf di angora rosso mattone e pantaloni di pelle viola giaggiolo, magari con calzini di filo bianchi), si potrebbe pensare che non avete buon gusto, o comunque siete ignoranti di ogni norma del vestire. **Anche nel parlare, oltre agli errori veri e propri ci sono le cadute di stile**. Sono quei comportamenti che vanno evitati perché il comune consenso delle persone più qualificate li ritiene antiestetici e, in qualche modo, segno di inferiorità nell'esprimersi. In questo capitolo passeremo in rassegna le principali cause delle cadute di stile in ambito linguistico.

Comportamenti linguistici di moda

Ci sono comportamenti che in sé non hanno niente di male, ma diventano da evitare perché sono troppo di moda. Per esempio, negli ultimi anni alcune marche di giacche a vento o di scarpe si sono avvicendate come simboli di un certo conformismo giovanile nel vestire, dell'accettazione prona e acritica di un modello di persona. Le ditte fabbricanti si sono certamente rallegrate delle abbondanti vendite, ma chi per qualsiasi ragione portava quegli abiti rischiava sempre di essere giudicato una persona intellettualmente passiva, influenzabile o addirittura coatta, plagiata dalla moda.

Per i comportamenti linguistici accade lo stesso. In linea di principio non ci sarebbe niente di male nell'usare l'espressione *un attimino* per designare una piccola quantità di qualcosa, anche se non si tratta di tempo. Per esempio, si può dire: *ci vorrebbe un attimino di buona educazione in più*. Si tratta di una metafora, in cui *un attimino* ha la stessa funzione che hanno espressioni come *un pizzico* o *un briciolo*. Queste sono metafore ormai consolidate nell'uso, ma se ne possono anche immaginare di meno usuali: *ci vorrebbe un goccino di buona educazione*, oppure *una fettina di rispetto*. Sono usi abbastanza scherzosi, che riflettono una certa creatività linguistica e in certe circostanze possono anche essere molto appropriati. *Un attimino* è nato allo stesso modo, eppure oggi incontra la disapprovazione della maggior parte delle persone attente alla lingua. Quando qualcuno lo usa, può capitare di vedere i presenti storcere il naso o ammiccare fra loro. Perché?

La ragione principale è che *un attimino* è esageratamente di moda, e soprattutto fra le persone di cultura medio-bassa imperversano attimini non solo di pazienza (che sarebbe il meno), ma anche di prudenza, di rabbia, di chiarezza, di luce e perfino attimini di colla, di sale o di pepe. Senza contare che, nell'uso avverbiale, si incontra gente un attimino stanca, un attimino malata, un attimino furiosa e un attimino ignorante. In mia presenza, si è verificato che un muro fosse un attimino giallo e che un albero fosse un attimino troppo alto.

Chi si accorge di questa onnipresenza di attimini tende a farsi un attimino prudente, e a usarli un attimino meno. E naturalmente diventa un attimino più sensibile all'uso che ne fanno gli altri. Ed è proprio questo il punto: chi è che non se ne accorge? Per non accorgersene bisogna essere un attimino distratti, oppure un attimino incapaci di riflettere sul proprio comportamento. Un attimino passivi, insomma, un attimino acritici e succubi della moda, un attimino troppo permeabili agli influssi esterni. Per questo può capitare di essere giudicati un attimino severamente. Fateci un attimino di attenzione.

In ogni periodo ci sono espressioni che le persone attente si vedono quasi costrette a evitare perché sono troppo di moda. Recentemente è stato il turno per esempio di *cioè*, di *al limite*, di *a livello di*, che erano diventati degli autentici *passe-partout*, e comparivano in usi molto lontani da quelli che erano loro propri.

Cioè veniva (e da alcuni viene ancora) usato all'inizio di un discorso. Per esempio, a notte fonda, sorprendendo la figlia nell'ingresso con le scarpe in mano: *Cioè, ti sembra l'ora di tornare a casa?* Oppure, lo si incontrava (e lo si incontra) come intercalare quasi senza senso: *Io vado, prendo la macchina, cioè, voi che fate?*

Al limite ha perso il suo impegnativo valore originario ed è diventato quasi sinonimo di *forse* o *magari* o *eventualmente*: *perché non vieni a trovarmi, una di queste sere? Al limite andiamo al cinema insieme...*

A livello di ha perso ogni contatto con le realtà in cui ha senso parlare di livelli, ed è passato al senso generico di *riguardo a*, in espressioni come queste: *a livello di computer, sono un perfetto ignorante; le vacanze le ho passate bene a livello di divertimento, un po' meno a livello di soldi perché ho speso moltissimo.*

Ma al di là delle improprietà di significato, la cosa che veramente disturba in tutte queste espressioni è proprio l'uso eccessivamente frequente. È per questa stessa ragione che oggi bisogna stare attenti quando si usano termini o espressioni come *esternare*, *arricchente* (che tra l'altro è brutto in sé), *in prima persona* (di cui parleremo nel paragrafo successivo), *diciamo* (usato come intercalare continuo), *mitico* o *megagalattico* (entrambi nel senso generico di 'estremamente positivo'), *tracimare* e così via. (Oggi la parola *tracimare* è meno in voga di qualche anno fa, quando un'insistita cronaca televisiva l'aveva messa sulla bocca di tutti. Fra poco si potrà tornare a usarla senza pericolo.)

In realtà, non è che non si possano proprio per niente usare termini di moda: è sufficiente, nell'usarli, far capire che lo si fa a ragion veduta, perché in quel contesto ci servono veramente e non solo perché siamo influenzati dalla moda. È sempre meglio impiegarli nel loro uso proprio e non in quello che la moda ha finito per attribuire loro; e comunque accompagnandoli con qualche segno del fatto che sappiamo quanto il termine sia abusato. A volte è sufficiente un mezzo sorriso o un ammiccamento del viso e del tono di voce. Altre volte si può essere più espliciti, per esempio così: *è stata un'esperienza, se mi passate il termine, arricchente*; o così: *la mia pazienza finirà, come si dice oggi, per tracimare*.

In generale, il dilagare di termini di moda è solo un aspetto di quella che è stata chiamata la «lingua di plastica», cioè l'affermarsi di un linguaggio banale e standardizzato, fatto di poche parole che sono sulla bocca di tutti e che vengono usate per dire tutto, per cui molte persone perdono la capacità di esprimersi in maniera personale e originale. Quindi, a parte la disapprovazione altrui, il fatto di accontentarsi dei termini di moda comporta degli svantaggi espressivi concreti. Un buon esempio di questo è la parola *scenario*, che è oggi frequentissima perché dà, si direbbe, un brivido di soddisfazione a chi la usa, quasi si trattasse di un termine particolarmente evoluto ed espressivo. Apparentemente è più «disinvolto» dire *facciamo due scenari possibili* che dire *facciamo due ipotesi possibili*; oppure, sembra più «intelligente» dire *lo scenario in cui ci troviamo* che *la situazione in cui ci troviamo*. Ma se si soggiace eccessivamente alla moda, si finisce per usare sempre la stessa parola (*scenario*, appunto) laddove sarebbe utile distinguere fra concetti anche molto diversi, espressi da termini come *scena*, *panorama*, *prospettiva*, *quadro*, *ipotesi*, *progetto*, *piano*, *situazione* e così via.

Insomma, chi disapprova l'obbedienza acritica alle mode ha delle ottime ragioni.

Il linguaggio giovanile

Un caso particolare di moda linguistica è il linguaggio giovanile. Fra i gruppi di giovani sorgono continuamente mode più o meno durevoli, e prevalentemente scherzose. I vari *cuccare* (sedurre, conquistare), *sfiga*, *sgamare* (scoprire, capire, smascherare), *truzzo* (rozzo, zotico), *scavallare* (saltare la scuola), *barcagliare* (corteggiare), *tacchinare* (idem), *verza* (ragaz-za carina), *roito* (ragazza o ragazzo brutto), le forme abbrevia-te come *mate*, *vaitra*, *tranqui*, *seico*, *raga* (matematica, vai tran-quillo, tranquillo, sei coglione, ragazzi), i termini simil-inglesi con il suffisso *-escion* come *tentacolescion* o *inchiappettescion*, e poi *un casino* (nel senso di 'molto'), *in coma* (nel senso di 'stanco'), *spastico* (nel senso di 'poco intelligente o poco abi-le'), *ameba* (nel senso di 'senza personalità'), *paglia* (nel senso di 'spinello'), *a bestia* (nel senso di 'moltissimo'), e molti altri, hanno longevità e vitalità diverse, ma nel complesso caratte-rizzano il linguaggio che i giovanissimi parlano fra di loro. E questo è il punto: ciò che va bene quando si è con quelli della propria compagnia abituale può non essere appropriato ad altri contesti, che richiedono uno stile diverso. Parleremo dif-fusamente di questo nel capitolo 5. Qui basta comprendere che un termine che arricchisce il nostro lessico quando parlia-mo con i coetanei potrebbe risultare incomprensibile o appa-rire volgare se lo usiamo per parlare con un professore, con il nonno, o con un vigile urbano che ci vuol fare la multa. Proba-bilmente serve qualche accortezza anche per usarlo in un tema d'italiano. In queste situazioni è meglio dire: *non ha fortuna con le ragazze perché è scemo*, piuttosto che dire: *non cucca perché è rinco*. Se non altro, siamo sicuri che capiranno di cosa stiamo parlando.

Formazioni banali, sciatte e in voga

In certi casi ad essere di moda non è una singola parola, ma un elemento, di solito un suffisso, che concorre a formare molte parole. La cosa è negativa soprattutto quando un certo suffisso è così di moda da essere aggiunto anche a parole base per le quali non è adatto. Si consideri la frase seguente, e si cerchi di indovinare dov'è il problema:

La forza della loro unione sta tutta nella complementarietà dei loro caratteri.

Molto spesso si dice e si scrive la parola *complementarietà*. Ebbene, direte voi, cosa c'è che non va? Anzi, è un bel parolone astratto e difficile...

Complementarietà imita *contrarietà, ordinarietà, arbitrarietà*, forse *statuarietà*. Ma tutti questi nomi astratti derivano da aggettivi che terminano in *-ario*, come *contrario, ordinario, arbitrario*, ecc. Invece **complementare** somiglia a *esemplare, particolare* e *basilare*, i cui corrispondenti nomi astratti sono *esemplarità, particolarità* e *basilarità*. Il procedimento è molto semplice: la *-e* finale dell'aggettivo viene sostituita dal suffisso sostantivizzante **-ità** come in *facile – facilità* o *solenne – solennità*. Suggerirei perciò di non complicare le cose e di dire semplicemente **complementarità**. A meno che si voglia dire *basilario, particolario, esemplario* e *complementario*.

☞ Il mio indirizzo è riportato alla fine di questo libro. Sarò grato a chi mi scriverà per dirmi perché, alla radio e sulla carta stampata, complici anche molti vocabolari, sceglie di dire *motricità, psicomotricità*, quando come nomi astratti da *motorio* e *psicomotorio* sono disponibili **motorietà** e **psicomotorietà**.

Allora perché non dire: *grazie a una serie di mostre nei grandi capoluoghi europei l'opera dell'artista va acquisendo sempre maggiore* **notrietà**,
oppure:
*l'***assolutrietà** *della sentenza non impedisce che rimangano gravi ombre sulla persona dell'imputato*,
o anche:
la **perentrietà** *dell'ordine stupì i soldati*?

Oggi sono in uso molte parole collegate alle idee di 'uso' e 'usare'. Oltre a **uso**, **usare** e **utile**, figurano *utilizzo* e *utilizzare*, e perfino *utilizzazione*. *Utilizzare* significa 'rendere utile', ma non nel senso di 'modificare le caratteristiche di una cosa in modo che divenga utile'. Piuttosto nel senso di 'adoperarla, cosicché se prima non era utile, nel momento in cui la si adopera lo diventa'. Insomma, *utilizzare* significa 'usare'. E *utilizzazione* significa 'uso'.

Sorge spontanea una domanda: visto che hanno lo stesso significato, sono *tutte utili* queste parole?

Poi ne sorge un'altra: è lecito aggiungere suffissi finché si vuole, o a un certo punto è meglio fermarsi? Per esempio, se da *utile* si sono fatti *utilizzo* e *utilizzazione*, da *utilizzazione* non si potrebbero fare *utilizzazionare* e *utilizzazionamento*, da cui *utilizzazionamentare* e *utilizzazionamentanza*, e poi *utilizzazionamentanzare* e *utilizzazionamentanzaggio*, da cui *utilizzazionamentanzaggiare* e *utilizzazionamentanzaggiatura*, da cui *utilizzazionamentanzaggiaturare* e *utilizzazionamentanzaggiaturinio*, da cui *utilizzazionamentanzaggiaturiniare* e di nuovo *utilizzazionamentanzaggiaturiniazione* e così via?

Evitare accumuli come *utilizzazione* non è per niente obbligatorio; ma chissà, non potrebbe essere segno di finezza mentale?

Del resto, come abbiamo visto questo non è l'unico esempio di una pericolosa libidine del suffisso che si insinua nei gusti degli italiani. C'è chi attribuisce a sé o ad altri spiccate doti *oratoriali*, quando sono già disponibili quelle **oratorie**. O forse questi signori sono particolarmente dotati per le attività che si svolgono negli oratori, per esempio salesiani? Le doti oratoriali sarebbero dunque l'eccellenza nel canto liturgico, nelle attività benefiche, nel ping pong e nel calcio Balilla?

Un noto stilista italiano ha messo in giro dei foglietti autoelogiativi in cui sostiene di essere giunto al compimento di «40 anni di *inventività*», evidentemente perché non gli bastavano alcuni decenni di **inventiva** come a tutti i suoi colleghi. In questi 40 anni sostiene di aver dato vita a innumerevoli «opere di alta *sartorialità*». Dobbiamo in ciò vedere una volontaria e sdegnosa presa di distanza dal mondo, ormai guasto, dell'alta **sartoria**?

Ridondanza

Sempre più spesso si sentono frasi come:

Quel finanziamento ci consentirà di poter costruire una nuova palestra.

Si prospetta la necessità di dover rimandare la riunione.

Il problema in frasi come queste è che, sia pure con termini diversi, la stessa cosa viene detta due volte. Se un fatto consente di realizzare qualcosa, naturalmente consente di *poterla* realizzare. Se obbliga a farla, naturalmente obbliga a *doverla* fare. C'è una regola implicita nella comunicazione linguistica, secondo cui bisogna evitare di dire cose inutili. Per esempio, non si può dire *è un uomo basso di piccola statura*, né *è una lavatrice rotta che non funziona*, e nemmeno *quell'albero è una pianta* o *adesso me ne vado allontanandomi*. Nel concetto di 'albero' è inclusa l'idea che si tratta di una pianta, e in quello di 'andarsene' è compreso l'allontanarsi. Allo stesso modo, *consentire* significa 'far sì che si possa', e *necessità* implica un 'si deve'. È goffo dire che un finanziamento farà sì che *si possa poter* costruire una palestra; ed è altrettanto goffo dire che si *deve dover* rimandare una riunione. Perché dunque usare espressioni come *consentire di poter fare*, *permettere di poter fare*, *dare la possibilità di poter fare*; oppure *la necessità di dover*, *essere obbligati a dover*, *questo ci costringe a dover fare*, e così via?

Un altro esempio di ridondanza inopportuna che si ascolta spesso sono le costruzioni del tipo: *quello che è X, quelle che sono Y*. Si osservino le seguenti frasi, tratte rispettivamente da una conversazione fra impiegati, da un tema d'italiano e dalla recensione giornalistica di un libro:

1. Ti espongo brevemente quelli che sono i punti di forza della nuova campagna.

2. In questi anni il Leopardi sviluppa quelli che sono i motivi fondamentali della sua poetica.

3. Il libro elenca quelle che sono le maggiori minacce per la pace nel mondo.

Tutte e tre le frasi guadagnano qualcosa in eleganza se si elimina l'inutile complicazione sintattica di *quelli/quelle che sono*:

1a. Ti espongo brevemente i punti di forza della nuova campagna.

2a. In questi anni il Leopardi sviluppa i motivi fondamentali della sua poetica.

3a. Il libro elenca le maggiori minacce per la pace nel mondo.

☞ Ci si può dunque domandare: perché qualcuno inzeppa il suo parlare di queste scorie inutili? La risposta probabilmente è almeno duplice:
- l'inserzione di parole inutili nel discorso aiuta a prendere un po' di tempo per decidere esattamente cosa dire. Ha la stessa funzione degli *ehmmmm...*, degli *insomma*, dei *vero*, dei *devo dire* e dei *cioè*;
- l'inserzione di parole «inutili» del tipo di *quelli che sono*, se queste hanno un'apparenza «intelligente e colta», e poiché complicano la sintassi del periodo, dà a chi non ci riflette l'impressione di «parlare meglio».

In effetti, usato in modo diverso, questo tipo di costruzione caratterizza il parlare colto perché serve a introdurre raffinate distinzioni. Proviamo a riscrivere le nostre tre frasi:

1b. Ti espongo brevemente quelli che dovrebbero essere i punti di forza della nuova campagna.

2b. In questi anni il Leopardi sviluppa quelli che saranno i motivi fondamentali della sua poetica.

3b. Il libro elenca quelle che sono ritenute le maggiori minacce per la pace nel mondo.

Come si vede, in (1b) l'introduzione del verbo *dovere* al condizionale serve a dire che i punti di forza ancora non ci sono. In una situazione in cui la campagna sia ancora allo stato di progetto, la semplice frase (1a) sarebbe inappropriata (e quindi anche la 1, che ne è solo una variante appesantita). Lo stesso si può dire della (2b), in cui si avverte che i temi in questione non erano ancora parte della poetica leopardiana, ma lo sarebbero diventati in seguito. Nella (3b) si avverte che quelle di cui si parla sono le maggiori minacce secondo l'opinione di qualcuno, e non in senso oggettivo. Insomma, la costruzione *quelli che...* serve ad attribuire a qualcosa una collocazione nel tempo e nel grado di certezza, che sia diversa da quella del resto della frase. Per questo richiede un verbo coniugato con un tempo, un modo o una diatesi diversi da quelli della frase principale, oppure l'aggiunta di un predicato di senso diverso dal semplice *essere*. Altrimenti, è inutile.

Purtroppo però la maggior parte di coloro che usano questo tipo di espressione l'ha orecchiata malamente e ha sì capito che compare in discorsi di un certo livello, ma senza comprenderne la vera utilità. Così ne fa un uso «vuoto», in cui la funzione di attivare distinzioni sottili è completamente assente e rimane solo quella di appesantire il discorso e di darsi delle goffe arie di importanza.

Recentemente capita spesso di sentir dire frasi come: *mi impegno in prima persona...*, oppure: *noi siamo tutti responsabili in prima persona di...* Chiunque si impegni, chiunque sia responsabile, chiunque mangi, beva o dorma, viaggi, lavori o si dia una martellata sul dito pollice, lo fa sempre in prima persona. Chiunque faccia qualcosa può dire «io». Dunque l'aggiunta di *in prima persona* non aggiunge alcuna informazione, è un caso di ripetizione, di ridondanza. Tuttavia la si può ritenere utile perché rafforza il senso di diretto coinvolgimento della persona con la sua azione. Insomma, sarebbe una ridondanza perdonabile, se non fosse diventata molto di moda e se non comparisse spesso anche dove non c'è bisogno di nessun rafforzamento. Fatene un uso attento.

Ipercorrettismi burocratici

Qualche volta l'errore di stile può consistere nella ricerca maldestra di uno stile più elevato. Credendo di esprimersi in maniera più «corretta», si fanno delle goffaggini. Vediamo alcuni esempi:

1. Ieri è deceduto un mio caro amico.

2. Mi saluti la sua signora!

3. I bambini hanno preso l'influenza. Sarà meglio effettuare la loro cancellazione dalla scuola di sci.

4. Piacere, Scartezzini Gianmario.

5. Io ed Anna abbiamo deciso di andare ad Empoli per il fine settimana.

6. Mi è per ora impossibile risponderti, ma se mi dai venti minuti faccio un paio di telefonate e ti so dire qualcosa.

Chi normalmente parla un italiano semplice avverte talvolta la necessità di esprimersi in modo più «alto». Questo accade quando ci si trova a scrivere, ma anche parlando. Per esempio, se la situazione è formale o solenne; oppure semplicemente quando si parla con una persona che si ritiene di cultura superiore, con la quale si cerca di non sfigurare. In simili frangenti può essere giusto preferire termini di stampo colto o letterario a quelli più abituali ma un po' popolari o triviali. Per esempio, dire *al contrario* anziché *all'incontrario*, *cancellare* anziché *scancellare* e *che cattivo odore* invece di *che puzzo*. Un sano riguardo e la ricerca di uno stile educato può far scegliere di non dire *è morto il tale*, preferendo eufemismi come *è mancato*.

Ma bisogna stare molto attenti a **non credere che il «buon italiano» coincida con il linguaggio burocratico**. La frase in (1) contiene il verbo *decedere*, che è tipico dell'uso burocratico, legale e di polizia. Molto meglio, allora, dire semplicemente che qualcuno è *morto*. Molti italiani non frequentano gli autori letterari e la cultura umanistica in genere. Dunque non sono attrezzati per rendersi conto che l'italiano di qualità è molto diverso da quel gergo goffo, pesante e spesso ridicolo che si adotta negli uffici pubblici e nei documenti ufficiali. Anzi, poiché il linguaggio burocratico è l'unica lingua con cui vengono in contatto nelle situazioni formali e spesso l'unica che avvicinano nella forma scritta, molte persone sono portate a ritenere che quello sia il modello della lingua da parlare quando si vuole adottare uno stile più elevato del solito. Purtroppo però chi colora il suo parlare con pezzi di burocratichese mostra l'immagine di una persona che si sente in soggezione di fronte alla lingua «alta» ma non la conosce, e cerca maldestramente di rimediare con l'unico lessico non «da tutti i giorni» di cui ha qualche esperienza. Peggio la toppa del buco. Meglio continuare a parlare la propria lingua abituale, dando per lo meno l'impressione di una certa disinvoltura.

☞ Un bellissimo esempio della mancanza di questa disinvoltura, e della necessità di rifugiarsi in una finta lingua burocratica, è il brigadiere di cui racconta Italo Calvino (in «Il Giorno», 3 febbraio 1965, ripubblicato in *Una pietra sopra*, p. 123):

Il brigadiere è davanti alla macchina da scrivere. L'interrogato, seduto davanti a lui, risponde alle domande un po' balbettando, ma attento a dire tutto quello che ha da dire nel modo più preciso e senza una parola di troppo: "stamattina presto andavo in cantina ad accendere la stufa e ho trovato tutti quei fiaschi di vino dietro la cassa del carbone. Ne ho preso uno per bermelo a cena. Non ne sapevo niente che la bottiglieria di sopra era stata scassinata". Impassibile, il brigadiere batte veloce sui tasti la sua fedele trascrizione: "Il sottoscritto, essendosi recato nelle prime ore antimeridiane nei locali dello scantinato per eseguire l'avviamento dell'impianto termico, dichiara d'essere casualmente incorso nel rinvenimento di un quantitativo di prodotti vinicoli, situati in posizione retrostante al recipiente adibito al contenimento del combustibile, e di avere effettuato l'asportazione di uno dei detti articoli nell'intento di consumarlo durante il pasto pomeridiano, non essendo a conoscenza dell'avvenuta effrazione dell'esercizio soprastante".

Dunque, salvo nei verbali delle forze dell'ordine e nei certificati anagrafici, le persone *muoiono* e non *decedono*. I saluti si mandano *a sua moglie*, oppure *alla signora*, ma non *alla sua signora*. È inutile sforzarsi di *effettuare cancellazioni*, quando si può semplicemente (e assai più elegantemente) *cancellare*. Ci si chiama *Gianmario Scartezzini*, e non *Scartezzini Gianmario*, perché l'anteposizione del cognome serve solo nelle liste alfabetiche. Quando si dice per la prima volta il proprio nome a una persona, per esempio stringendole la mano, è un po' strano e fa un po' «arrivato per la prima volta in città dalla campagna» declinare le proprie generalità come se si avesse a che fare con l'impiegato dell'ufficio immigrazione.

Un tratto caratteristico del burocratichese (nella sua forma tipica, cioè scritto, ma di conseguenza anche letto e parlato) è la debordante invadenza della *d* eufonica (frase 5). Si tratta di quella *d* che si pronuncia talvolta fra due vocali uguali, per evitare che si «scontrino»: *io ed Emma*, *torno ad Asolo*. Ma è eccessivo infilarla ovunque si tocchino due qualsiasi vocali. Se le vocali sono diverse fra loro, possono benissimo stare: *io e Anna*, *vado a Empoli*. Inoltre, se la *d* eufonica è tollerabile con la congiunzione *e* e con la preposizione *a*, lo è molto meno con *o*: *tu ed io* suona meglio di *tu od io*, che può definirsi per lo meno antiquato, se non pedante. Peggio che mai se si esce da espressioni frequenti come *tu od io*, in cui la *d* può essersi per così dire «cristallizzata», e ci si avventura a usarla in maniera creativa. Le persone colte storcono il naso di fronte a cose come: *è tardi, dobbiamo smettere od almeno interrompere*.

La frase (6) mostra uno fra i tanti esempi che si potrebbero fare di quella lieve coloritura burocratica che fa capolino nel parlato di alcuni italiani quando si sforzano di «parlare bene»: lo spostamento di certe congiunzioni o avverbi o espressioni avverbiali di tempo (ma non solo) dall'inizio della frase alla posizione subito dopo il verbo *essere*. Una maniera normale di esprimersi è: *per ora mi è impossibile risponderti*; mentre c'è qualcosa di forzato in *mi è per ora impossibile*. Tendenzialmente, e salvo qualche eccezione, l'avverbio o la congiunzione sta all'inizio se riguarda tutta la frase: *invece siamo andati al mare* è italiano piacevole, mentre *siamo invece andati al mare* è un po' velato di burocratichese; se si sta parlando e non scrivendo, è più naturale dire: *adesso la cappella è restaurata* che *la cappella è adesso restaurata*. Meglio dire: *però sono stanco*, che *sono però stanco*. Meglio: *perciò è l'ora di andare* che *è perciò l'ora di andare*.

Forestierismo selvaggio

Specialmente in alcuni ambiti professionali, come per esempio l'informatica, si assiste al dilagare delle parole straniere, spesso anche al posto di termini italiani che andrebbero benissimo. Nelle questioni di stile è sempre molto difficile stabilire quando la misura è superata. Oltre tutto, è questione di gusti. Ciò che nelle arti figurative piaceva alla corte papale nel diciottesimo secolo ci appare oggi esageratamente carico e perciò privo di eleganza, perché il nostro gusto è tornato a preferire linee e decori più sobri; ma forse in realtà nuovi generi di barocco sono già di moda. Dunque, tornando alla lingua, probabilmente danno fastidio a tutti discorsi come il seguente:

Devi fare un upgrade o aumentargli la ram di qualche megabite, e anche la cache: la ram te la dice quando bootstrappa. E l'hard disk da quanto è?

Nella finanza, nella gestione aziendale e nelle professioni economiche in genere, come anche nel mondo della comunicazione, le cose non vanno meglio, perché si procede a suon di *targets*, di *futures*, di *leasings*, di *joint ventures*, di *general managers*, di *accounts*, di *books*, di *headlines* e chi più ne ha più ne metta. Molte di queste parole sono indispensabili, perciò non ha senso proporre di non usàrle. Per non apparire ridicoli, basta farne un uso sorvegliato, evitando gli eccessi più grotteschi. Anche perché la cattiva abitudine tende ad allargarsi ai casi in cui la parola straniera non serve. Ad esempio, che ragioni abbiamo per preferire l'inglese *trend* all'eccellente prodotto nazionale *tendenza*, o *meeting* ai più precisi (secondo le circostanze) *riunione, incontro, convegno*?

☞ Un'altra questione è quella della **pronuncia delle parole straniere**, compresi i nomi di luoghi e persone. Ne abbiamo parlato nel capitolo 2 e torneremo ad accennarne nell'ambito del capitolo 5. Secondo le circostanze, la pronuncia più appropriata cambia. Se stiamo parlando con uno straniero, parole e nomi della sua lingua andranno pronunciati il più possibile come li pronuncia lui; ma se siamo fra italiani, una pronuncia troppo «accurata» può stonare, e suona esagerata se non addirittura esibizionistica. Fra di noi si può dire *Boston* e *Oxford*, non occorre dire *Baas'n* e *Axfd* come fanno gli inglesi.

Intonazione e gentilezza

L'intonazione è una parte importante della lingua. Il suo uso corretto consente in tutte le lingue la distinzione fra asserzioni, comandi e domande, e permette l'istituirsi della gerarchia che stabiliamo, ogni volta che parliamo, fra la parte più importante e quella meno importante di ogni enunciato. Tutti noi adoperiamo l'intonazione in maniera istintiva, senza neanche rendercene conto, e di solito non facciamo alcuno sbaglio. Le cose cambiano se ci cimentiamo con una lingua che non è la nostra, ma si può dire che agli italiani non occorre insegnare l'intonazione italiana. Perciò qui rifletteremo soltanto su un piccolo aspetto dell'intonazione, e cioè sulla possibilità di usarla per essere gentili.

La stessa asserzione, detta con diversa intonazione, può suonare **perentoria** (e quindi lasciare poco spazio all'opinione dell'interlocutore) oppure più **possibilista** e dunque più rispettosa dell'eventuale dissenso altrui. A voi la scelta dell'intonazione da adottare, secondo cosa dite e a chi lo dite.

Lo stesso vale per un comando, che può avere un tono tale da escludere ogni replica: *Vai a comprare il pane!*, oppure un tono più dolce: *Vai a comprare il pane...*, o addirittura prendere la forma di una domanda: *Vai a comprare il pane?*

A volte una parte dell'enunciato ha un contenuto più gentile del resto, e con l'intonazione si può scegliere di sottolineare proprio quella parte. Per esempio, immaginate di trovarvi su un autobus in una città che non conoscete. Dovete scendere alla fermata più vicina a via Dante, e chiedete informazioni. Un anziano signore vi spiega che dovete scendere alla fermata di piazza Maggiore, poi, dopo il giornalaio, prendere la prima a destra e poi la seconda a sinistra. Voi ringraziate. Dopo qualche fermata vi domandate se piazza Maggiore non sia la prossima, e lo chiedete al signore anziano. Lui dice che sì, è la prossima, e comincia a ripetere che appena scesi dovete prendere la prima a destra, proprio dopo il giornalaio, e che poi ci sono due incroci, e che... ma l'autobus si sta già fermando, voi dovete scendere. Volete dire al gentile signore che avete capito la spiegazione, e che non occorre ripeterla. Potreste interromperlo dicendo così:

Ho capito, grazie.

Se riflettete un istante, sarete d'accordo che una simile risposta può suonare sgarbata. È come dire: «sei stupido a ripetermelo, tagliamo corto, non mi servi più, arrivederci e grazie». Ma tutto cambia se con il tono della voce sottolineate il *grazie*:

Ho capito... GRAZIE!

Meglio ancora se accompagnate il tutto con un sorriso. Immediatamente si capisce che la gratitudine prevale sul desiderio di troncare. E adesso scendete, altrimenti l'autobus riparte. E ricordatevi, la prima a destra e la seconda a sinistra.

☞ Fate mente locale d'ora in avanti: vi accorgerete di quanto sia continuo questo ruolo dell'intonazione come «lubrificante» delle interazioni comunicative. Il più delle volte la scelta dell'intonazione più adatta avviene istintivamente. Ma talvolta il fatto di essere più coscienti del ruolo dell'intonazione vi permetterà di migliorare l'effetto di ciò che dite.

Per mettere in pratica

Le ineleganze di stile che sono state l'oggetto di questo capitolo non sono certo fatti gravi. Però nel loro insieme contribuiscono non poco a caratterizzare positivamente o negativamente il modo di parlare di una persona. Per acquisire uno stile senza difetti e senza ingenuità, la strategia generale ricalca in parte alcune raccomandazioni che abbiamo già fatto, ed è questa:

- **Scegliere bene i propri modelli**: esporsi al «contagio» dei buoni libri e del modo di parlare delle persone colte, in modo da prendere le loro stesse abitudini linguistiche.
- **Nel contempo, riflettere sempre su ciò che si legge o si ascolta**. Notare le cose che non suonano familiari, cercare di spiegarsele e di farle proprie.

Un grosso pericolo è rappresentato dai falsi modelli, che sono molto ingombranti nella nostra civiltà della comunicazione. Molti (se non la maggioranza) dei personaggi della televisione e moltissimi messaggi, sia pubblicitari che no ma comunque ad altissima diffusione, a dispetto dell'alto grado di «ufficialità» che conferisce loro il mezzo, sono ben povera cosa dal punto di vista linguistico. Dunque:

- **Non subire passivamente i modelli correnti**.

L'atteggiamento da non abbandonare mai mentre si parla è di fare attenzione a tutte le cose che si sono dette in questo capitolo, cercando di averle sempre presenti. Si può riassumere in questi due punti:

- **Fare sempre attenzione a quel che si dice**. Inizialmente, non lasciare al caso e all'abitudine le nostre scelte. Non «parlarsi addosso». Col tempo le scelte giuste diventeranno buone abitudini, e si potrà allentare la presa.
- **Almeno di tanto in tanto, osservarsi con gli occhi di un**

altro, cercare di immaginare l'effetto che farebbe il nostro modo di parlare a qualcuno di cui stimiamo il giudizio.

☞ A conclusione di questa Parte prima, è opportuna una considerazione: si può anche essere padroni della lingua, anzi di molti modi di parlare una lingua; si può essere capaci di non fare errori, padroneggiare il lessico colto, quello straniero, quello delle scienze e quello di attualità; ma questo è sufficiente? No, anzi: ci serve a poco se non siamo capaci di **scegliere**, di volta in volta, **il modo di parlare adatto alla situazione** in cui ci troviamo, agli interlocutori con cui comunichiamo e agli scopi che ci prefiggiamo.

Si può essere padroni della lingua, ma questo ci serve a poco se quando qualcuno si avvale della lingua per influenzarci non siamo capaci di riconoscere i trucchi che usa.

Si può essere padroni della lingua parlata, ma è sorprendente quanto poco questo ci serva al momento di scrivere. E si può essere padroni della lingua scritta ma commettere l'errore di usarla anche quando si vuole parlare in modo elevato. Bisogna essere padroni sia della lingua parlata che di quella scritta, e soprattutto bisogna rendersi ben conto delle differenze fra le due.

Di queste cose parleremo nella Parte seconda.

5.

Gradi di formalità: sapersi cambiare d'abito

Ad ogni contesto l'abito giusto

Andreste a un matrimonio con la tuta da lavoro imbrattata di morchia? E a raccogliere more in giacca e cravatta? In cravatta andreste a una festa, ma solo dopo esservi assicurati che non sia una festa informale. Guai a essere l'unico tutto in tiro quando gli altri la prendono meno sul serio. È altrettanto imbarazzante quanto essere vestiti male in un contesto elegante.

Sapersi vestire nel modo adatto alla circostanza è uno dei tanti piccoli ingredienti che formano ciò che a volte si chiama «saper stare al mondo». Un altro di questi ingredienti, meno visibile ma non certo meno importante, è sapersi esprimere in modo adatto alle circostanze.

Nel capitolo 3 ci siamo interessati ai linguaggi scientifici. Abbiamo visto che in determinati contesti occorre fare grande attenzione alle parole che si usano, perché sono contesti in cui la precisione è importante. Se questo vale del linguaggio delle scienze, altrettanta precisione è richiesta dai linguaggi di molte professioni moderne. D'altra parte è ovvio che la stessa precisione non è necessaria sempre. Anzi, in molte conversazioni meriterebbe piuttosto il nome di pedanteria.

Nel capitolo 7 vedremo che quando si scrive è opportuno regolarsi in maniera diversa da quando si parla. Ciò significa anche che quando si parla è opportuno regolarsi in maniera diversa da quando si scrive. In altre parole, **parlare come un libro stampato non è un traguardo da perseguire sempre**. Anzi, in molti contesti è una goffaggine, come tutti istintivamente comprendiamo. Del resto, il tono adatto a un libro non è l'unico tono che può prendere un discorso scritto. «Scritto» non è sinonimo di «formale», e «parlato» non è sinonimo di «informale». A seconda delle situazioni, è conveniente parlare in maniera più o meno informale, o scrivere in maniera più o meno formale. Per esempio, non c'è niente di male se durante una seduta del Parlamento un deputato si esprime così:

Invito lorsignori a una ponderata riflessione su quanto sto per dire.

La stessa frase però è già troppo formale in bocca a un critico letterario che stia tenendo una conferenza su Giacomo Leopardi davanti a un pubblico di persone che si dilettano di letteratura. Questi invece potrebbe dire qualcosa come:

Vi invito a riflettere attentamente su una cosa.

A sua volta la frase qui sopra suona affettata e pedante se detta fra amici o in famiglia, dove sarà meglio esprimersi più o meno così:

Provate a riflettere su questo.

o così:

Pensate un po'.

Facciamo un altro esempio, stavolta ipotizzando che si tratti di lingua scritta. In una lettera burocratica è piuttosto comune che si leggano frasi come questa:

La Signoria Vostra è pertanto cortesemente invitata a presentarsi allo sportello del detto ufficio per comunicazioni riguardanti la pratica in oggetto.

Scrivendo a una persona con cui non siamo in familiarità, potremo darle appuntamento pressappoco così:

Le proporrei di vederci per parlare di questo problema.

Scrivendo a un amico, si potrebbe dire:

Vediamoci, se vuoi, e parliamone.

Come si vede, cambia non solo la scelta delle parole, ma anche la complessità della sintassi. Si potrebbe andare avanti a fare esempi, ma sarà ancora più utile seguire questo suggerimento: ascoltate con attenzione gli altri che parlano, e specialmente quelli che parlano bene. Scoprite la differenza fra parlare bene in modo formale (per esempio durante un esame, o davanti a un pubblico) e parlare bene in modo informale. Fate lo stesso quando leggete. In un romanzo, confrontate il modo di esprimersi del narratore con quello dei personaggi, e confrontate fra loro i modi di parlare dei diversi personaggi. Confrontate lo stile dei libri di storia, quello dei libri di matematica, quello dei testi giuridici, quello dei libri di economia, quello di una storia d'amore e quello di un racconto di fantascienza. Rendetevi conto che voi stessi, a seconda di ciò che scrivete, adottate uno stile diverso. Quando scrivevate (o scrivete) temi di italiano, potevate dire:

Il poeta è preso da un ardente desiderio di congiungersi con la donna amata.

Però a chiunque scriva una lettera alla persona che ama sconsiglierei di esprimersi così:

Sono preso da un ardente desiderio di congiungermi con te,

a meno che il suo scopo non sia proprio di farle fare una risata. Trovate voi le parole per dire questo a chi volete.

Gradi di formalità

I gradi di formalità non sono una vaga questione di «tono», o di istintiva scelta delle parole. La lingua italiana è come un grande contenitore all'interno del quale esistono **diverse «lingue italiane», ciascuna con un suo lessico e un suo insieme di regole grammaticali ben precise**, che in parte coincidono con il lessico e la grammatica delle altre, e in parte se ne differenziano. Queste diverse lingue si chiamano, con termine tecnico, *registri* dell'italiano. Ciascun registro è appropriato ad ambiti d'uso in parte diversi da quelli degli altri registri.

I registri dell'italiano sono stati classificati in molti modi. Qui ne adottiamo una descrizione semplice e pensata per gli scopi di questo libro.

Al grado meno formale della scala si trovano i **dialetti**, che in senso tecnico non fanno parte dell'italiano, ma che moltissimi italiani, soprattutto fuori dalle grandi città, usano tutti i giorni.

Sullo stesso livello di informalità si trovano alcuni **gerghi**, come per esempio quello della malavita o quelli dei gruppi giovanili.

Un livello meno informale è rappresentato dagli **italiani regionali**, che sono l'italiano parlato con inflessioni e caratteristiche grammaticali tipiche del dialetto d'origine di chi parla.

Il gradino ulteriore potremmo chiamarlo **italiano neutro spontaneo**, cioè un italiano con poco influsso del dialetto ma caratterizzato da una certa scioltezza e disinvoltura espressiva.

Vengono poi l'**italiano curato**, tipico delle situazioni formali, ufficiali o addirittura solenni, e quello **specialistico**, di cui sono un tipico esempio i linguaggi rigorosi propri delle discipline scientifiche e di alcuni contesti professionali, a cui abbiamo dedicato il capitolo 3.

Infine, il massimo grado di impegno formale è rappresentato dall'**italiano letterario**, il cui uso è limitato ai casi in cui, all'interno dell'atto di comunicare, la forma linguistica in sé riveste un'importanza primaria e ha finalità estetiche.

Fra persone dello stesso gruppo: gerghi e dialetti

In realtà non tutti i gerghi[1] rappresentano il gradino più basso della scala di formalità. Per esempio, non quello degli ingegneri nucleari e nemmeno quello dei parlamentari. Deci-

---

[1] Il termine *gergo* è usato in questo libro nel suo senso più lato di 'linguaggio, modo di parlare che caratterizza un gruppo, una classe, una professione ecc.', e non nel senso ristretto di 'linguaggio convenzionale parlato dai membri di un gruppo per distinguersi e per non farsi capire da chi non vi appartiene'.

samente informale è invece il gergo giovanile di cui abbiamo parlato nel capitolo 4. Ma tutti i gerghi sono accomunati da una caratteristica: sono fatti per essere usati in contesti particolari e con persone che condividono lo stesso gergo. Durante un esame non è il caso di dire che *Dante sbavava dietro a Beatrice Portinari, lo credo, quella era una strafiga spaziale, poi dice ch'era pure molto okkei di testa*. Meglio dire che provava per lei una fortissima attrazione sia fisica che spirituale, motivata dalla sua grande bellezza e dalla sua nobiltà d'animo, o cose del genere. E nemmeno è una buona idea dire alla donna di servizio di *incrementare del 30% l'attuale regolazione del potenziometro che comanda l'afflusso di corrente all'elettroresistenza del radiatore perché l'energia cinetica delle particelle gassose racchiuse nell'ambiente è sotto i valori normali*. Meglio dirle di alzare il riscaldamento perché fa freddo.

☞ Nell'Italia delle campagne e dei piccoli centri è normale che in famiglia si parli dialetto. In dialetto avviene anche la maggior parte delle conversazioni per strada, nei negozi e nei locali di intrattenimento. Usare l'italiano in tali contesti potrebbe fare un'impressione di distacco, come se chi parla volesse prendere le distanze dai suoi interlocutori. Del resto ci sono cose che in dialetto si dicono meglio che in italiano. Una volta, durante una serata di nullafacenza in un bar, un mio amico piemontese ha raccontato ad alcune persone, fra cui io, una storia di un suo incidente in motorino. Il racconto è passato quasi inosservato. La sera successiva, nello stesso bar, ha raccontato la stessa storia. Il pubblico era in gran parte lo stesso, con qualche nuovo venuto. Tutti si sono sbellicati dalle risate, e da allora sono del parere che quella sia una delle storie più esilaranti che abbiano mai sentito. Nessuno sa quante volte, in seguito, Chicco è stato costretto, a furor di popolo, a raccontarla di nuovo. Cosa è successo fra il venerdì e il sabato sera? Perché una storia già sentita può far ridere tanto, se la prima volta non era sembrata niente di speciale? Semplicemente perché la prima volta l'aveva raccontata in italiano. Solo la seconda volta, grazie al dialetto, è venuto fuori tutto il fascino grottesco dei suoi tentativi di districarsi fra cavetti della frizione, ciuffi di ortiche, cascatelle di acqua di scolo, un grande pesce marcio e due vecchie paia di mutande di lana inspiegabilmente abbandonate in fondo a una scarpata.

Naturalmente il dialetto non si adatta solo alle barzellette. Si può benissimo usare per parlare di automobili da corsa (qua e là aiutandosi con parole italiane, dove manca la parola dialettale) e anche per ripassare matematica in vista dell'interrogazione di mercoledì. I miei amici piemontesi se la cavano benissimo inframezzando il loro dialetto con parole come *radiatùr* (radiatore) e *masim cumün denominatùr* (massimo comune denominatore).

Invece è meglio abbandonare il dialetto se la persona a cui ci rivolgiamo non lo sa parlare, o comunque preferisce l'italiano. Questo vale anche se ci rivolgiamo a un pubblico numeroso dove non siamo certi che tutti sappiano il dialetto. In Italia l'unica lingua che tutti sono tenuti a sapere è l'italiano. Per questo, al dialetto è da preferire l'italiano nella maggior parte dei contesti «pubblici», cioè quelli in cui si fanno cose che riguardano tutti, quale che sia il dialetto che parlano, compresi coloro che non ne parlano nessuno. Per esempio nei tribunali, in molti uffici anche privati, nella scuola (che tra l'altro ha fra i suoi compiti di insegnare l'italiano), nell'università e così via.

In contesti informali: italiano regionale

In Italia di solito la provenienza regionale di chi non parla dialetto è facilmente ricostruibile dal suo modo di parlare l'italiano. Questo perché nelle varie parti del paese parliamo sì la stessa lingua, ma un po' «contagiata» dal dialetto locale.

Un elemento importante di questo contagio è rappresentato dall'**intonazione della frase**, che rende immediatamente riconoscibile un ligure, un emiliano, un veneto, un napoletano.

Anche **la pronuncia di molti suoni** collabora al colorito regionale: a Roma è comune che si dica *è ssado ggiusso* per «è stato giusto» e *so' annado* per «sono andato». In generale in gran parte dell'Italia meridionale si pronuncia *cando, lendo* per «canto, lento», *robba, carabbinieri* per «roba, carabinieri», *ha raggione Luiggi* per «ha ragione Luigi», e, sia pure più raramente, *monno, annanno* per «mondo, andando». In molte regioni si dice *conzegna, qualziasi* anziché «consegna, qualsiasi». I napoletani spesso trasformano le *o* finali in una specie di *e*: *al velodrome ho vviste tue fratelle.* Molti toscani dicono *la oaòla olla annuccia órta* invece di «la cocacola con la cannuccia corta». Nelle regioni del nord non si distingue fra *pésca* (quella con la canna o con la rete) e *pèsca* (quella col nocciolo), e in generale la pronuncia delle vocali è particolare. Per esempio, a Milano invece di «cèntotré» con la prima *e* aperta e la seconda chiusa, si dice *céntotrè* con la prima *e* chiusa e la seconda aperta. Sempre nell'Italia settentrionale, sono comuni pronunce come *oglio* per «olio», che rendono possibile la rima della nota canzonetta: *Ahi ahi ahi se faccio un figlio / Ahi ahi ahi lo chiamo Emilio.* La mia esperienza è che i siciliani, anche quelli che pronunciano l'italiano con la maggior cura possibile per evitare inflessioni dialettali, si rivelano sempre al momento di dire una parola con il suffisso *-zione* (come *situazione* o *considerazione*), che pronunciano con la *z* sonora e la *o* apertissima.

Si potrebbero fare innumerevoli altri esempi. Ma l'intonazione e la pronuncia non sono i soli ambiti in cui il dialetto influisce sull'italiano regionale. Anche **la grammatica dei dialetti** a volte si riflette sulla lingua. Per esempio, a Firenze è frequente che i nomi di persona femminili abbiano l'articolo, che il soggetto della frase sia «raddoppiato» mediante un pronome e che la *l* dell'articolo maschile si trasformi in una consonante doppia all'inizio della parola seguente: *la Silvana la vol'andare a i' mmare.* A Milano anche i nomi di persona maschili hanno l'articolo: *il Mario non s'è visto.* In Piemonte molti dicono *non mi oso* anziché «non oso», perché il verbo del dialetto piemontese con lo stesso significato ha forma riflessiva.

Al di là dei singoli esempi, è importante rendersi conto della differenza fra l'italiano standard e il nostro italiano regionale. Tuttavia un italiano del tutto privo di tratti regionali non lo parla praticamente nessuno. Ad esempio, gli annunciatori e i giornalisti televisivi, che in teoria dovrebbero depurare la loro lingua da qualsiasi regionalismo, parlano sempre più spesso un italiano con forti influssi romaneschi e milanesi. Del resto, mentre un tempo l'italiano di Firenze o di Siena era ritenuto comunemente quello più corretto, oggi il prestigio delle due grandi metropoli del centro e del nord sta cambiando le cose, ed è difficile precisare in maniera assoluta l'identikit dell'italiano senza aggettivi.

Rimane il fatto che possiamo tenere sotto controllo il grado di regionalità del nostro italiano, facendo attenzione a quali ne sono gli aspetti più marcatamente locali. Di solito si tratta di quelli che, pur in uso in contesti informali nella nostra regione, vengono evitati dagli annunciatori tv e da chi tiene lezioni o conferenze in pubblico. Naturalmente, se non stiamo annunciando i programmi della serata e non stiamo tenendo una conferenza, non c'è niente di male a far uso di un italiano anche marcatamente regionale. Non solo lo possiamo usare per parlare con gli amici o i colleghi sul lavoro, ma lo possiamo anche scrivere, per esempio in lettere private. Meno consigliabile è mettere tratti nettamente regionali nell'elaborato di un esame o in una lettera professionale.

Dall'informale al formale: italiano spontaneo e italiano curato

Quando evitiamo i tratti fortemente regionali, possiamo dire che il nostro è un italiano «neutro». Questo può avere diversi gradi di formalità, secondo che osservi o meno una serie di regole, che esporremo nel prossimo paragrafo. Nella sua variante più «rilassata» e spontanea, è adatto a tutti gli usi privati e a molti usi semipubblici e anche pubblici. Per esempio un conferenziere, anche in una sede prestigiosa, al giorno d'oggi può benissimo scegliere di adottare un tono abbastanza spontaneo e informale per mettere a suo agio l'uditorio. Anche durante un esame universitario o in un colloquio di lavoro non è necessario usare un italiano molto sostenuto, purché però si evitino regionalismi troppo evidenti o veri e propri errori di grammatica, e soprattutto (come abbiamo visto nel primo capitolo) purché non ci si facciano sconti sul linguaggio specifico della disciplina con cui abbiamo a che fare.

Ma passiamo appunto a vedere che tipo di tratti differenziano l'italiano più spontaneo da quello più «sorvegliato» e formale.

TRATTI CHE DISTINGUONO L'ITALIANO SPONTANEO DALL'ITALIANO CURATO

Parlando si fanno continuamente delle scelte: usare una parola piuttosto che un'altra, un costrutto sintattico e non un altro, eccetera. Di molte di queste scelte non ci si accorge nemmeno. Di alcune però può essere utile accorgersi, per adattare il nostro modo di esprimerci ai nostri scopi. In questo paragrafo elencheremo una ventina di scelte che riguardano il **grado di formalità**. Ogni scelta presenta un'alternativa che appartiene al registro formale e una che appartiene a quello informale. Quando si scrive e si parla non è obbligatorio adottare in blocco un registro (per esempio quello formale), ma si può anche «**dosare**» **il grado di formalità mescolando i registri, cioè adottando alcune alternative più formali e altre meno**. L'importante è essere coscienti del valore che hanno le varie scelte e le varie alternative.

Scelta 1. ──────────────────────────────
Parole «sostenute» o parole «dimesse»

Quale di queste due frasi è più formale e quale meno?

1. L'ho invitato a desistere dalla sua ostinazione, che in una tale circostanza non era affatto appropriata.

2. Gli ho detto di piantarla con la sua cocciutaggine, che in quel caso proprio non ci stava.

La struttura sintattica delle frasi (1) e (2) è la stessa, ma le parole usate in (1) appartengono a un registro più formale. Non ci sono errori in (2), ma potrebbe essere un errore pronunciare quella frase in determinati contesti; per esempio se ci stanno intervistando in televisione a proposito dell'ostruzionismo parlamentare di un avversario politico. D'altra parte sarebbe un errore dire la frase (1) alla mamma che ci chiede informazioni sul tentativo di nostro fratello di tenere per sé tutti i cioccolatini portati in regalo da un ospite.

Queste differenze dipendono dalla diversa formalità di termini come *desistere* e *piantarla*, *ostinazione* e *cocciutaggine*, *tale* e *quel*, *circostanza* e *caso*, e così via. L'italiano possiede moltissime alternative fra un modo più formale e uno più familiare di dire le cose. Elenchiamo qui solo pochissimi esempi, per dare un'idea:

meno formale	più formale
di davanti	anteriore
di dietro	posteriore
dell'occhio	oculare
dell'orecchio	auricolare
del padre	paterno
della madre	materno
del figlio	filiale
di legno	ligneo
speciale	peculiare
quindi	pertanto
purtroppo	malauguratamente
braccia e gambe	arti
macchina	automobile
lavapiatti	lavastoviglie
forza	energia elettrica
soldi	denaro, valuta
costruire	edificare
comprare	acquistare
cacare	defecare
pisciare	urinare

cambiare	alterare
essere triste	dolersi
arrivare	pervenire

Benché meno formale della (1), la frase (2) non è meno corretta. Questo perché ne differisce solo per alcune scelte di lessico. Ma se ci spostiamo dal lessico alla grammatica, ci accorgiamo che l'italiano parlato spontaneamente da molte persone presenta parecchi tratti che, giudicati con il severo occhio del grammatico tradizionale, non sono del tutto corretti.

Scelta 2.
Ripetizione pronominale

La grammatica ci ha abituati a pensare che in italiano il pronome «sta per il nome», cioè designa qualcosa o qualcuno che nella frase non è nominato in maniera più esplicita. In altre parole, se c'è il pronome, è perché nella frase non c'è il nome. Per esempio:

dagli la caramella;
digli che passerò dopo cena.
Dimmelo.

Ma in realtà è comune, nel parlato spontaneo, che una frase contenga un pronome «inutile» perché riferito a qualcosa o qualcuno che è anche menzionato:

dagli la caramella anche a Luigi;
digli a Mariolina che passerò dopo cena.
Dimmelo a me.

Il pronome in questi casi è ridondante, cioè ripetitivo. «*Dagli la caramella anche a Luigi*» significa '*dai a Luigi la caramella anche a Luigi*'; «*digli a Mariolina*» significa '*di' a Mariolina a Mariolina*'. Qualcosa di simile si può osservare anche per la presenza di due pronomi nel ben noto *a me mi piace, a me non mi va*.

Per quanto comuni, queste ripetizioni non sono corrette. Possono diventare corrette se il nome viene aggiunto come una specie di ripensamento o di spiegazione, dopo una pausa o un cambiamento di tono: «*DIGLIELO, a Luigi*» significa: '*diglielo. Intendo dire, (dillo) a Luigi*'. Qualcosa di simile avviene con *a me mi piace*, il cui senso è circa: 'parlando di me, mi piace...'. Comunque, a meno che si sia in famiglia o fra amici, conviene evitarle. È vero che chi usasse pronomi ridondanti in famiglia e li evitasse quando scrive, quando parla in pubblico o quando dà un esame, sarebbe irreprensibile. Ma il problema è riuscirci. Se si coltivano certe abitudini quando si parla con spontaneità, è molto difficile non esserne influenzati quando è il momento di adottare un registro più sorvegliato. Mentre il passaggio da un lessico dimesso a parole più «elevate» si fa facilmente, per i fatti di grammatica l'abitudine è difficile da abbandonare. Chi dice *dimmelo a me* in casa, finirà per dire *me lo dia a me* all'esame.

Scelta 3. ──────────────────────────
Ripetizione di locativi

Un altro elemento della frase che nell'italiano spontaneo tende ad essere usato in modo ridondante sono le espressioni avverbiali che significano 'all'interno di'. A una domanda come:

Dove sono i fazzoletti di carta?

è frequente che si risponda:

Dentro nella borsa.

che significa: '*dentro dentro la borsa*'. Invece bisognerebbe dire semplicemente: *dentro la borsa*. Al pari di quella del pronome, questo tipo di ripetizione tende a diventare abitudine. Dunque, se si vuole essere sicuri di non cascarci, è meglio abituarsi a evitarla anche nei contesti informali in cui disturba di meno o per niente.

Scelta 4.
Forme contratte

L'alternativa fra *con il* e *col* non rappresenta una differenza di significato, ma solo di grado di formalità. In un contesto ufficiale, parlando di cose che richiedono grande rispetto, è probabilmente meglio dire *con il* e *con la*:

Andate, figlioli, con la benedizione della Patria.

Viceversa, se il contesto è informale, conviene la forma contratta:

Col cavolo che gli presto la mia moto: me la rompe di sicuro!

Scelta 5.
Gli unificato

I pronomi personali italiani sono:

soggetto	oggetto	complemento obliquo[2]
io	me	mi
tu	te	ti
egli/lui	lui/lo	gli
ella/lei	lei/la	le
noi	noi/ci	ci
voi	voi/vi	vi
essi/loro	loro/li	loro

Ma per quanto riguarda la terza persona del pronome complemento, la distinzione fra maschile e femminile (*gli/le*) e ancor più quella fra singolare e plurale (*gli/loro*) sono decisamente in ribasso nell'uso comune. Sono comunissimi usi come:

[2] Quelle elencate sono le forme atone del complemento obliquo. Quelle toniche sono ottenute aggiungendo una preposizione alle forme del complemento oggetto: *a me, per te*, ecc.

– Hai dato i soldi a Francesca? –
– No, ma gli ho dato il bancomat. – (anziché «le ho dato...»)

oppure:

– Chiamo i bambini? –
– Sì. Digli che vengano a mangiare. – (anziché «di' loro...»).

La convergenza, più o meno frequente, di *gli*, *le* e *loro* in un unico pronome *gli* in funzione di complemento indiretto è un tratto ormai affermato dell'italiano spontaneo. Non disturba praticamente nessuno, e in una conversazione informale è raro che ci si accorga se il proprio interlocutore mantiene o no la distinzione. Ma certamente l'uso di *le* per il femminile e *loro* per il plurale si fa ancora apprezzare in contesti formali ed è quasi obbligatorio negli usi scritti.

Scelta 6. —————————————————————
Sei stato *te* o sei stato *tu*?

Te che vuoi? Te cosa ne dici? Questo l'hai fatto te? sono frasi comuni, che non destano più stupore. Ma la forma corretta, quando il pronome di seconda persona è soggetto, resta pur sempre *tu*:
Tu che vuoi? Tu cosa ne dici? Questo l'hai fatto tu? A voi di capire quando è il caso di starci attenti e quando potete lasciarvi andare.

Scelta 7. —————————————————————
***Avere* o *averci*?**

Quali delle seguenti frasi sono più informali?

1. Ho da fare.
   Secondo me tu hai un problema.
   Abbiamo ancora un sacco di soldi.

2. Ci ho da fare.

Secondo me tu ci hai un problema.
Ci abbiamo ancora un sacco di soldi.

Naturalmente sono più informali le frasi (2), in cui il verbo *avere* è sostituito dal verbo *averci*, «rafforzato» con un avverbio di luogo anche se non è presente alcun significato locativo.

Secondo i contesti, scegliete voi se esprimere il possesso con *ho, hai, ha, abbiamo, avete, hanno*, oppure con *ciò, ciai, cià, ciabbiamo, ciavete, cianno*. Ma state attenti, perché *averci* è decisamente informale. Se il problema di come scriverlo vi assilla, consultate il capitolo 7.

Quando il verbo *avere* è usato con la preposizione *da* e prende il senso di 'dovere', la scelta si presenta fra almeno tre gradi di formalità, qui esemplificati in ordine decrescente:

Devo potare una siepe.
Ho da potare una siepe.
Ci ho da potare una siepe.

Scelta 8. ——————————————————
Stare a + infinito o *stare* + gerundio?

Per esprimere la duratività di un'azione in corso l'italiano usa il costrutto con *stare* e il gerundio:

Sto mangiando, sto fumando, sto facendo la doccia, mi sto scocciando.

Spesso questo costrutto è sostituito dal costrutto di origine dialettale con *stare a* seguito dall'infinito:

Sto a mangiare, sto a fumare, sto a fare la doccia, mi sto a scocciare.

Quest'ultimo costrutto è però estremamente informale. Usare con cautela.

Scelta 9.
Rafforzamento della negazione

Per rafforzare il contrasto che la negazione *non* esprime rispetto a quanto è stato appena detto, si può usare l'avverbio *mica*:

– Hai pulito la casa, falciato il prato e stirato le camicie? –
– Non sono mica la tua serva! –

Oltre a questi usi di contrasto, molti estendono l'uso di *mica* anche ai casi di semplice negazione. Questo avviene probabilmente per influsso di alcuni dialetti in cui la negazione è doppia o comunque contiene una parola simile a *mica*. In questi casi il senso è quello di *affatto, per niente*, ma è bene sapere che una frase come (2) suona nettamente più informale di (1):

1. Oggi non ho affatto fame.
2. Oggi non ho mica fame.

Decisamente informale (e di origine dialettale) è anche l'uso di *manco* nel senso di *nemmeno*:

Che ha da lamentarsi? Manco l'ho sfiorato.

Scelta 10.
Passato prossimo e passato remoto

Il passato remoto è ancora usato comunemente solo in alcune regioni d'Italia (come la Sicilia e la Toscana). Nel complesso, lo si sente sempre meno e suona «elevato», o semplicemente antiquato. Anche parlando di eventi accaduti molto tempo prima, l'uso più frequente preferisce il passato prossimo:

L'anno scorso siamo andati in Grecia.
Gli egiziani hanno costruito le piramidi.

La scelta del passato remoto determina subito un tono decisamente «sostenuto»:

L'anno scorso andammo in Grecia.
Gli egiziani costruirono le piramidi.

Scelta 11. ───────────────────────────
Congiuntivo e indicativo

In Italia la popolazione si divide in due grandi categorie: la prima è costituita dalle persone che, a proposito delle frasi introdotte da verbi come *credere che, sembrare che, volere che*, si domandano: «è giusto l'indicativo o il congiuntivo?». La seconda è costituita da coloro a cui di continuo qualche membro della prima categoria pone la medesima domanda.

Dunque, sono «giuste» le frasi in (1) o quelle in (2)?

1. Credo che sia ora di andare.
   Mi sembra che faccia più caldo di ieri.
   Vuoi che vuoti io la spazzatura?

2. Credo che è ora di andare.
   Mi sembra che fa più caldo di ieri.
   Vuoi che vuoto io la spazzatura?

Il congiuntivo è il modo raccomandato dalla grammatica e va senz'altro preferito non solo quando si scrive, ma anche quando si parla in situazioni formali e in generale quando vogliamo che ci si accorga che siamo colti e preparati. Nelle situazioni informali in cui nessuno deve giudicare la nostra cultura, è accettabile (e di fatto è ormai prevalente) l'uso dell'indicativo come in (2).

Naturalmente la cosa migliore è mescolare le due strategie, adattandosi alle circostanze reali che spesso hanno un grado di formalità intermedio. Questo è reso possibile anche dal fatto che a seconda del predicato o della congiunzione reggente l'indicativo risulta più o meno accettabile. Dunque ci sono frasi in cui il congiuntivo è necessario quasi in ogni situazione, e frasi in cui invece l'indicativo è accettabile anche in contesti abbastanza formali. Questo ha a che vedere talvolta con il grado di certezza espresso dal predicato reggente (maggiore la certezza, minore la necessità del congiuntivo. Ma gli esempi con *prima che* o *benché* dati qui sotto non sottostanno a tale spiegazione). Le frasi in (3) sono distribuite secondo una scala di crescente sgrammaticatezza, che va dal prevalentemente accettabile al decisamente sgrammaticato:

3. Mi pare che è finita la festa.
   Credo che è finita la festa.
   Spero che è finita la festa.
   Se ne vanno prima che è finita la festa.
   Rimangono benché è finita la festa.
   Voglio che è finita la festa.

Anche il tipo di verbo della subordinata può richiedere con maggiore o minor forza il congiuntivo. In (4) la prima frase con l'indicativo è più accettabile della seconda:

4. Voglio che vai a lavarti.
   Voglio che sei pulito.

Scelta 12. ─────────────────────────────────
Attivo, passivo o impersonale

Ogni evento transitivo (in cui cioè qualcuno/qualcosa fa l'azione e c'è qualcuno/qualcosa che la subisce) può essere descritto linguisticamente con un costrutto attivo oppure con un costrutto passivo:

1. Il fulmine ha incenerito la scuola.
   La scuola è stata incenerita dal fulmine.

Il passivo è molto adatto a esprimere il caso in cui non si conosca o si preferisca non rivelare l'autore dell'azione:

2. La professoressa di ginnastica è stata cosparsa di marmellata.

Invece il costrutto attivo, se vuole realizzare lo stesso scopo, è costretto ad assumere un soggetto generico:

3. Hanno cosparso di marmellata la professoressa di ginnastica.

Nessuno di questi costrutti è sbagliato o poco corretto, ma forse conviene sapere che il passivo (come in 2) suona un tantino più formale e «curato» dell'attivo con soggetto generico (in 3).

Scelta 13. ———————————————————
Il *che* polivalente

In italiano la parolina *che* ha molte diverse funzioni. Fra queste, quella di pronome relativo soggetto o oggetto diretto:

1. Il cane che ha morso la vecchietta.
    La casa che ho comprato.

e quella di congiunzione dichiarativa:

2. Mi ha detto che mi ama.
    Mi preoccupa il fatto che siamo senza benzina.

Nell'uso comune queste funzioni tendono a confondersi, e *che* si assume compiti non previsti dalla grammatica tradizionale. In (3), con l'aiuto di un altro pronome, *che* assume un ruolo intermedio fra la congiunzione dichiarativa e il pronome relativo obliquo (cioè né soggetto né oggetto: *in cui/nel quale, a cui/al quale, di cui/della quale*):

3. È un posto che ci siamo già stati.
    È lui la persona che gli dobbiamo dieci milioni.
    Sto pensando alla cosa che ne parlavamo ieri.

In (4), senza altri pronomi, la funzione di *che* può sempre essere vista come intermedia fra il pronome relativo obliquo (*in cui/nella quale*) e la congiunzione. Ma queste schematizzazioni sono solo dei tentativi di ricondurre le frasi dell'uso alla grammatica tradizionale. In realtà la funzione del *che* polivalente è generica; quella di un puro collegamento fra la principale e la subordinata:

4. La macchina che ieri eravamo in sei è la Astra.

In (5), per esempio, non è chiaro quale sarebbe il pronome relativo obliquo sostituito da *che* (*ai quali? con i quali? per i quali? riguardo ai quali?*):

5. Ci sono molti malati che non sai proprio cosa fare.

In simili frasi si può anche vedere un costrutto dichiarativo o consecutivo «nascosto» del tipo: *ci sono malati (per i quali la situazione è tale) che non sai proprio cosa fare*. Lo stesso vale di (6):

6. Questo è un caso che bisogna fare molta attenzione,

che potremmo interpretare come: *questo è un caso (tale da dirti) che bisogna fare molta attenzione*.

☞ Questi esempi dovrebbero bastare a rendersi conto di due cose. Primo, che spesso quando usiamo la parola *che* lo facciamo allontanandoci dalla grammatica tradizionale e «mescolando» le sue funzioni originarie; secondo, che questa prassi, benché molto diffusa e sostanzialmente accettata nell'uso orale informale, è da evitare quando si scrive e anche quando si parla in contesti formali o di valutazione. In tali contesti è meglio fare mente locale e tenere ben distinti i due usi «canonici» di *che* esemplificati in (1) e (2). Vale a dire, usarlo come pura congiunzione dichiarativa oppure come puro pronome relativo soggetto o oggetto.

Scelta 14.
Altri usi di *che*

La versatilità di *che* non si ferma davvero agli usi di cui abbiamo appena parlato. Esiste un *che* esclamativo:

1. Che bella ragazza!

Ed esiste un *che* interrogativo:

2. Che fai?

Il *che* esclamativo è adatto ad ogni tipo di registro, dal più formale al più spontaneo. Invece il *che* interrogativo è piuttosto informale, perché esistono alternative che comunicano un'impressione di maggiore «compostezza». Le frasi in (3) sono disposte secondo un ordine decrescente di formalità:

3. Che cosa succede?
   Cosa succede?
   Che succede?

A voi, naturalmente, la scelta di quanta accuratezza (o di quanta spontaneità) iniettare nei vostri enunciati interrogativi.

Scelta 15.
Anacoluti

Nel parlato spontaneo si incontrano qualche volta degli anacoluti, cioè degli enunciati in cui, a causa di un «cambio di progetto» da parte di chi parla, si verifica un'incongruenza sintattica. Per esempio:

1. Il muratore ha detto che questo trave più si incurva e più il tetto è solido.

Altri esempi di anacoluto potrebbero essere: *Il controllore le ha prima chiesto il biglietto, e poi la mamma si è presa una multa; io la mattina il morale è sempre alto; chi pecora si fa, il lupo se lo mangia; nello scusarci dell'ulteriore attesa e per evitarvi ulteriori attese, potete lasciare un messaggio alla messaggeria vocale.*

Cosa c'è che «non va» in (1)? Dal punto di vista della chiarezza, poco. Si capisce benissimo cosa significa. È per questo che nessuno di noi si stupisce, e addirittura pochi si accorgono di qualche irregolarità, se sentiamo pronunciare una frase come quella in (1). Ma dal punto di vista della grammatica il problema è il seguente: il sintagma *questo trave*, per il fatto di essere posto subito dopo la congiunzione *che*, si annuncia come il soggetto di entrambe le frasi che seguono. Dunque sarebbe perfettamente regolare una frase come (2), in cui appunto anche il soggetto della seconda frase, benché non espresso, è ovviamente il trave:

2. Il muratore ha detto che questo trave più si incurva e più è solido.

Ma in (1) la seconda frase riceve, «a sorpresa», un altro soggetto (*il tetto*). Questo dipende dal fatto che chi ha prodotto l'enunciato, a metà della frase ha cambiato idea e ha deciso di parlare del tetto. Se avesse pianificato fin dall'inizio di introdurre questo secondo soggetto, avrebbe potuto mettere il primo soggetto subito davanti al primo verbo, per segnalare che faceva da soggetto solo a quello:

3. Il muratore ha detto che più questo trave si incurva e più il tetto è solido.

Insomma, gli anacoluti sono dei cambi di programmazione, che naturalmente rappresentano un segno di spontaneità e di scarsa sorvegliatezza nel parlare. Dunque sono tanto meno accettabili quanto più la situazione richiede che uno si esprima con impegno, accuratezza, o addirittura rispetto.

Scelta 16.
Metafore

La metafora linguistica è l'uso di un termine o di un'espressione non per significare ciò che designa letteralmente, ma per significare qualcosa che ad esso è legato da una relazione di somiglianza. Per esempio, *il tramonto dello Yen* non significa che lo Yen letteralmente scompaia a ovest dietro le montagne, ma significa comunque che lo Yen... va giù. Per *tessere un intrigo* non occorre e raramente giova mettersi al telaio, però è pur sempre vero che bisogna *intrecciare* (altra metafora) diversi elementi per ottenere una *trama*. Fuori di ogni metafora, la somiglianza fra tessere un tessuto e tessere un intrigo sta nel portare elementi distinti a interagire gli uni con gli altri per far esistere una struttura complessa.

Ci accorgiamo solo di una piccola parte delle metafore di cui facciamo uso in continuazione. A ben guardare, sono metafore o contengono un procedimento metaforico espressioni apparentemente «semplici» come *rimontare alle cause, inclinare verso un'idea, la soluzione* (dal verbo *sciogliere*) *di un problema, espandersi* (in tutti i sensi meno quello materiale), *un giudizio duro, un carattere aperto* o *chiuso, una coscienza pulita* o *sporca, un concetto che sfugge, la tensione nervosa, essere esaurito* (nel senso psichico o psicologico), *confessare candidamente, mettere a posto qualcuno, un mare calmo* o *agitato, un affare pulito*, e innumerevoli altre.

Ci sono poi metafore più evidenti, come *filo conduttore, canto del cigno, mollare gli ormeggi, tagliare la corda, cadere dalle nuvole*, e tante altre.

Qui ci interessa in particolare un aspetto della metafora, e cioè la sua prevalente affinità con i registri elevati della lingua. È proprio del parlare dimesso e di chi ha una modesta cultura il fatto di non saper usare le parole al di fuori del loro senso primario: *rimontare* per 'spostarsi nuovamente verso la parte alta di qualcosa', *duro* per 'fisicamente rigido e resistente alla pressione', *pulito* nel senso prettamente fisico. Spesso invece l'astrazione che vi è contenuta fa della metafora un segno di impegno se non addirittura di ricercatezza espressiva. È utile rendersi conto che, nel complesso, la scelta di usare più metafore comporta un innalzamento del tono (altra metafora) generale del discorso.

Scelta 17.
Ripetizioni della stessa parola a breve distanza

Perché la ripetizione di una parola a breve distanza è fastidiosa? Difficile dirlo. In parte, la sgradevolezza potrebbe derivare dal fatto che la ripetizione è un segno di scarso impegno nel parlare. Dato che si è appena usata, la parola ci ritorna facilmente alle labbra, e invece di impegnarci per cercarne un'altra ce la prendiamo comoda e ricicliamo la stessa parola di prima. Un discorso pieno di ripetizioni è segno che trattiamo l'interlocutore con disinvoltura. Evitare le ripetizioni è segno di rispetto. Riprenderemo questo argomento nel capitolo 7.

Scelta 18.
I forestierismi

Dell'uso di parole straniere abbiamo parlato a lungo nel capitolo 2. Qui ci interessa solo mettere a fuoco che la presenza di forestierismi in un discorso italiano lo caratterizza come meno spontaneo e più ricercato. Dunque più adatto a situazioni formali e ad ambienti «sostenuti». Troppi forestierismi quando si è fra amici negli spogliatoi del campetto di calcio potrebbero far credere che vogliamo mettere qualche tipo di distanza fra noi e i compagni di squadra:

Ragazzi, secondo me nel primo tempo quelli del team avversario hanno avuto solo un aperçu della nostra Weltanschauung. Basta con questo gioco in souplesse, nel secondo tempo dobbiamo fare un vero show off!

Scelta 19. ───────────────────────────

Iperboli

Una caratteristica del parlare spontaneo, specie fra i giovani, è l'abbondante ricorso a forme di senso iperbolico, cioè esagerato. Frasi come quelle in (1) sono molto più frequenti di quanto lascerebbe supporre il loro significato:

1. Il gelato mi piace da morire.
   Il modo in cui tieni la racchetta mi fa morire.
   Le comiche di Mr Bean mi fanno schiantare dal ridere.
   Quel libro è uno sballo.

Per fortuna è raro che qualcuno effettivamente defunga in seguito a una comica di Mr Bean, oppure per il semplice fatto di aver visto giocare a tennis un amico maldestro. Molte persone che riflettono sono infastidite dall'uso indiscriminato di esagerazioni di questo tipo. Più in generale, si può dire che simili iperboli ben si adattano a contesti scherzosi, o comunque spontanei. In contesti più seri o formali conviene farci attenzione.

Alcune iperboli hanno origini più remote e sono ormai consolidate nell'uso, perciò il loro valore di esagerazione si nota di meno. Questo le rende più utilizzabili anche in contesti meno spontanei. Per esempio, al posto di *Mr Bean mi fa morire*, se si vuole adottare un tono meno dimesso e casuale, si può dire *Mr Bean mi fa sbellicare dalle risate*; oppure: *Mr Bean è la mia passione*.

Scelta 20. ───────────────────────────

Esplicitazione dei nessi logici

Nel parlato spontaneo è comune che si omettano alcune cose non indispensabili. È il caso delle parole con cui si rendono espliciti certi passaggi logici che comunque sono comprensibili dal senso del discorso. Si veda l'esempio seguente:

1. Lei secondo me al cinema non ci andrà, ha un appuntamento col suo fidanzato.

L'esplicitazione del nesso di causa è senz'altro il segno di un parlare più accurato:

2. Lei secondo me al cinema non ci andrà, perché ha un appuntamento col suo fidanzato.

Dunque, in contesti formali, può essere utile ricordarsi di non dare per scontati troppi passaggi logici. Naturalmente non bisogna esagerare. Giudicate voi quale delle due frasi in (3) è più adatta a rispondere a una richiesta di passare nella stanza accanto, qualunque sia la formalità della circostanza e la confidenza che avete con l'interlocutore:

3. Arrivo, mi si è slacciata una scarpa.
   Arrivo, nonostante che mi si sia slacciata una scarpa.

CON MODERAZIONE
Le scelte esemplificate nel paragrafo precedente sono solo alcune delle più frequenti fra le molte che influenzano la formalità del registro linguistico. Ma riflettere su di esse e sulla loro applicazione può servire a sviluppare una maggiore abilità nel dosare la formalità del proprio eloquio. Infatti la maggior parte di queste scelte sono piuttosto delicate perché non pongono l'alternativa fra una variante corretta sempre da preferire e una scorretta sempre da evitare. E nemmeno si può dire che in ogni contesto ci sia sempre l'alternativa sicuramente migliore. La scelta fra un congiuntivo e un indicativo, fra un'espressione metaforica e una letterale, fra un *gli ho detto* e un *le ho detto* non dipende solo dal contesto e dall'interlocutore, ma anche dagli scopi che vi prefiggete nel parlare. Dall'impressione che volete comunicare. Disinvoltura? Deferenza? Sicurezza? Profonda cultura? Serietà? Disinvoltura e serietà insieme? Rispetto per l'interlocutore, ma da parte di persona preparata e sicura di sé? Occorrerà dosare le varie alternative disponibili nel linguaggio, per esprimere il giusto cocktail di

atteggiamenti psicologici e di qualità personali. Forse l'unica regola sicura è questa: nel dubbio evitate le esagerazioni, sia in un senso che nell'altro. Evitate di parlare proprio come un libro stampato (semmai quello stile riservatelo a quando scrivete libri da mandare alle stampe), ed evitate di parlare come capita.

Quando la lingua è in primo piano: l'italiano letterario

Ci sono casi in cui la lingua non è solo lo strumento di cui ci si serve per esprimere un contenuto concettuale, ma diventa la materia prima che si plasma per creare qualcosa di bello. In questi casi, uno degli scopi per cui si parla o si scrive è proprio quello di produrre della lingua di buona qualità. Questo può accadere a uno scrittore che scrive un libro o una poesia, oppure a un oratore che vuole affascinare il suo pubblico. E può accadere perfino a un innamorato molto romantico in un istante di ispirazione con la persona che ama. Ma questo è un caso limite. Comunque, lo scrittore, l'oratore, potreste essere voi. Se non oggi, domani. E allora può servirvi avere riflettuto su quali siano le caratteristiche di un linguaggio «bello».

L'italiano è stato usato per scopi estetici lungo circa nove secoli, divenendo piuttosto presto una possente lingua letteraria, ricca di vitalità, di colori e di sfumature. Naturalmente per esortare al patriottismo servono sfumature diverse che per commentare lo splendore della luna, ma è probabile che in entrambi i casi sia adatto, perché sorge spontaneamente, un **tono ispirato**. Un tono cioè diverso da quello di tutti i giorni. Per esempio, nel caso dell'esortazione un frequente innalzarsi della voce alternato con pause decise. Nell'evocazione della dolcezza le parole potranno anche distendersi, indugiare sulla stessa sillaba per esprimere il rapimento estatico, l'incanto a cui è sospeso chi parla. Una sola raccomandazione: questa non è una ricetta da applicare «a freddo». In altre parole: se vi sorge sincero e spontaneo, **non vi vergognate** di parlare con trasporto e ispirazione. Troppi in realtà si reprimono perché temono di non esserne capaci o di risultare ridicoli. Se si è sinceri, non si è mai ridicoli. Ma al tempo stesso, **evitate di fingere** con le parole un'emozione che non c'è. Un tono che si sforza di sembrare ispirato risulta piuttosto un tono ricercato, affettato, falso. E allora il ridicolo è assicurato.

Oltre che dal tono la lingua bella, quella della letteratura, è caratterizzata da **parole speciali**. Spesso a una parola della lingua banale di tutti i giorni corrisponde una parola il cui suono o la cui storia (da chi e come è stata usata in precedenza) suggeriscono stati d'animo elevati. *Melancolìa* è forse più poetico di *tristezza*, che a sua volta è meno disinvolto di *paranoia* e meno volgare di *svacco* o di *sfavamento*. *Rimembrare* è più letterario di *ricordare*, che a sua volta è meno prosaico della forma *ricordarsi*. *Leggiadro* suona più nobile di *bello*, che a sua volta, riferito a persone, è certamente meno «ruvido» di *bono*. Spesso basta cambiare un suffisso per ottenere una parola di tono più elevato: *chiarezza* è una parola qualsiasi, mentre *chiarità* è letteraria. Confrontate l'effetto di *la chiarezza dell'aria* e di *la chiarità dell'aria*.

In realtà non sempre «letterario» è sinonimo di «elevato, dolce, poetico». Spesso la semplicità di una parola la rende più poetica, in un dato contesto, di un'altra più ricercata. Quando il linguaggio deve descrivere ed evocare lo squallore, la spregevolezza, l'abiezione, le parole più efficaci sono proprio quelle più violente e più volgari. Alla fine del canto XXI dell'Inferno Dante descrive così l'abbandonarsi del diavolo Barbariccia a una sua cattiva abitudine:

ed elli avea del cul fatto trombetta.

D'altro canto, lo splendore della luna è descritto da Giacomo Leopardi con accenti dolcissimi:

Dolce e chiara è la notte e senza vento,
e queta sovra i tetti e in mezzo agli orti
posa la luna, e di lontan rivela
serena ogni montagna.

Si noti, nel passo leopardiano, che la dolcezza e la poesia non nascono necessariamente dall'uso di parole ricercate, ma anche dall'equilibrio fra queste e le parole comuni, dalla loro disposizione e dal ritmo che ne deriva.

Definire l'essenza di ciò che è poetico è impresa difficilissima. Per quel che riguarda strettamente il linguaggio, si potrebbero fare migliaia di esempi, ma non ci sono scorciatoie ed esiste un solo modo per familiarizzarsi con la lingua letteraria: leggere i grandi. Poeti, romanzieri, storici e filosofi italiani hanno molto da insegnare. Sia sul piano dei contenuti, sia su quello della forma.

Un'altra caratteristica della lingua letteraria sono le **figure retoriche**. Non possiamo qui passare in rassegna tutta la varietà delle costruzioni che la tradizione letteraria ha elaborato per rendere più ricco, più denso, più interessante il suo linguaggio. Ma faremo qualche esempio.

Il **chiasmo** è un espediente puramente formale, che consiste nel disporre le parole secondo una simmetria speculare, in modo che si presentino prima secondo un ordine e poi secondo l'ordine inverso. Parlando dei miei sentimenti per una donna posso dire di provare *dolce tenerezza e ardente passione*. Ma potrei trovare più bello dire che provo *dolce tenerezza e passione ardente*. Il trucco consiste nel passare da una successione ripetitiva Aggettivo-Nome/Aggettivo-Nome a un'architettura simmetrica Aggettivo-Nome/Nome-Aggettivo. Lo stesso si può fare con altre parti del discorso: *la sedusse abilmente e spietatamente la lasciò* suona meglio dell'alternativa con l'ordine Verbo-Avverbio ripetuto due volte: *la sedusse abilmente e la lasciò spietatamente*. La formulazione: *Siena mi fé, disfecemi Maremma* è nettamente migliore di *Siena mi fé, Maremma mi disfece*. Per questo Dante ha scelto di mettere in bocca la prima frase a Pia de' Tolomei, che era nata a Siena e morta in Maremma.

Il chiasmo evita il ripetersi di una struttura; ma non sempre la **ripetizione** di qualche elemento linguistico è negativa. Per esempio, la ripetizione di suoni dal valore espressivo può essere ricercata volontariamente. L'insistenza su certe sonorità può servire a evocare le sensazioni desiderate. I poeti sono maestri in questo. *Fresche le mie parole ne la sera Ti sien come il fruscìo che fan le foglie Del gelso ne la man di chi le coglie...* Così inizia *La sera fiesolana* di Gabriele D'Annunzio, e non v'è dubbio che il ripetersi delle *f* aiuta a sentirsi circondati dal fogliame. *Non domandarci la formula che mondi possa aprirti Sì qualche storta sillaba e secca come un ramo*: Eugenio Montale in *Non chiederci la parola*, oltre che al contenuto ricorre a suoni come *rt*, *st*, *cc*, per evocare in noi la sensazione di un mondo scabro, irto e inospitale. Noi non siamo bravi come D'Annunzio e Montale, ma in qualche caso l'effetto di ciò che diciamo può migliorare se ci ricordiamo che anche l'orecchio vuole la sua parte.

Molte altre figure retoriche riguardano il significato delle parole, più che la loro forma. Abbiamo già parlato della **metafora**. Quando ne facciamo uso comunichiamo a chi ci ascolta l'impressione che stiamo parlando con impegno, che usiamo bene la nostra cultura e che siamo padroni in misura notevole del nostro modo di esprimerci. È questa la differenza principale fra dire: *questo congresso sulle riserve alimentari mi ha stufato* e dire: *questo congresso sulle riserve alimentari ha esaurito le ultime scorte della mia pazienza*. A seconda delle circostanze e dell'effetto che volete ottenere, può essere più adatta l'una o l'altra formulazione.

La **metonimia** somiglia alla metafora, ma è leggermente diversa. Come abbiamo detto, fra senso letterale e senso metaforico esiste una relazione di somiglianza strutturale: *il tramonto* di qualcosa, per metafora significa 'l'andare giù'; *il timone* di qualcosa significa 'il ruolo, la posizione di comando, da cui si controlla la direzione'; e così via. Il significato metonimico invece è in una relazione di contiguità, di vicinanza con quello letterale. È qualcosa che gli sta accanto: *bere una bottiglia* significa naturalmente berne il contenuto, e chi «legge Proust» in realtà legge i suoi libri. *Uno sguardo triste* è piuttosto, nella realtà, appartenente a una persona triste. Queste metonimie sono così consolidate nella lingua che le usiamo senza accorgerci dello «spostamento» del significato. Ma è possibile creare delle metonimie per scopi espressivi: *inimicarsi l'Accademia di Francia* (in realtà, qualche suo membro), *un gesto disperato*, *un timido tentativo*, *un insolente congresso*, *un'affermazione ruffiana*.

L'**ossimoro** è l'accostamento di due contrari, per generare un'immagine forte, emozionante o comunque non banale: *un'allegra disperazione*, *una docile opposizione*, *un'impassibile dramma*, *un raffinatissimo maiale*, *un angelico carnefice*, *un'innocente perfidia*, *un tiepido entusiasmo*, *un illustre sconosciuto*, e così via.

La **sinestesia**, caso particolare di metafora, è l'accoppiamento in un'unica espressione di caratteristiche pertinenti a canali sensoriali diversi. Per esempio, nella realtà fisica soltanto ciò che si vede può avere un colore perché, essendo materiale, in parte assorbe e in parte riflette la luce; e in particolare, è verde ciò che assorbe tutte le altre frequenze e riflette quella del verde. Ma le parole permettono di creare realtà psicologiche con una certa libertà. Posso dire *un verde clamore* se parlo dei versi degli uccelli nella foresta amazzonica. E sono altrettanto libero di immaginare un *verde profumo*, oppure un *candido silenzio* (per esempio quello che concilia il sonno a pinguini, foche e orsi polari); ma anche un *gelido terrore* (quello che provo quando gli orsi polari si svegliano tutto intorno a me). Nel leggere questo libro forse provate un *tiepido interesse*. Se dite che siete in preda a un *famelico entusiasmo*, è segno che volete fare piacere all'autore e all'editore. Se oggi ne avete già letto più di venti pagine, probabilmente ciò che provate è solo un *grigio sfinimento*. Be'... a domani.

Formalità e opportunità

Quando nel salotto di casa vostra non c'è nessuno, se vi serve qualcosa che si trova dall'altra parte della stanza voi la attraversate con passo sicuro, afferrate l'oggetto, vi girate e di nuovo con passo sicuro attraversate la stanza per tornare donde siete venuti. Se invece sulle poltrone e sul divano siedono degli ospiti, voi vi comportate in tutt'altra maniera. Per esempio, scegliete un percorso esterno che vi permetta di non passare mai fra due ospiti che stanno parlando. Se siete costretti a passare in mezzo, lo fate con passo incerto, quasi a chiedere il permesso, e comunque soffermandovi a sorridere e chiedere scusa. Quanto più gli ospiti sono persone di riguardo, tanto più accentuato sarà questo comportamento.

In generale, quanto più un comportamento è beneducato e rispettoso, tanto più è scomodo. Confrontate un cenno del capo con una stretta di mano e con un inchino fino a terra. Confrontate un pranzo coi gomiti liberamente appoggiati sul tavolo a un pranzo coi gomiti sempre scrupolosamente lungo i fianchi.

Questo avviene anche con gli enunciati linguistici. In (1)-(4) riportiamo una serie di richieste di ricevere la saliera, adatte a situazioni sempre più formali e a interlocutori sempre meno intimi e sempre più di riguardo. Il contenuto non varia, ma non a caso col crescere della formalità cresce anche la lunghezza della frase da pronunciare. Proprio come fare il giro lungo invece di attraversare il salotto per la via più breve:

1. Dammi il sale.
2. Passami il sale, per piacere.
3. Mi passeresti il sale, per piacere?
4. Per piacere, sarebbe così gentile da passarmi il sale?
   Per piacere, potrei chiederle di avvicinarmi la saliera?

A parità di contenuti, un discorso più formale è per sua natura meno sbrigativo, più ricco di chiarimenti, fatto di espressioni più lunghe e grammaticalmente più complesse. Insomma, un po' più lungo e più faticoso da produrre. Ma naturalmente risulta anche un po' più lungo e più faticoso da ascoltare. Questo si sopporta di solito volentieri in nome della buona educazione e perché il rispetto per noi e per le situazioni è cosa che ci piace. Ma ci sono delle eccezioni a questa regola generale. Esse sono rappresentate da tutte quelle situazioni in cui è necessaria o preferibile una certa concisione.

In altre parole, il grado di fretta può influenzare il grado di formalità richiesto. Questo avviene per esempio al telefono, dove spesso la necessità di non occupare la linea a tempo indeterminato rende sconveniente che la conversazione si protragga con la stessa libertà che se ci si trovasse faccia a faccia. Spesso avviene anche quando si parla in pubblico, perché di solito il tempo a disposizione è fissato. A maggior ragione questo è vero quando si parla attraverso un'emittente radiotelevisiva. Per esempio, se qualcuno ci intervista, sicuramente preferisce risposte concise che vanno al dunque, e non complessi discorsi di circostanza pieni di salamelecchi. Più in generale, è sempre inopportuno dilungarsi troppo quando l'interlocutore è molto occupato o ha fretta: un caso tipico sono gli esami, universitari e non. In contesti del genere può capitare che i nostri sforzi per essere verbalmente curati e rispettosi si traducano in esitazioni e in complicazioni del discorso che l'interlocutore sente solo come penose perdite di tempo. A questo bisogna fare molta attenzione.

La parola d'ordine è dunque **il compromesso fra la formalità** richiesta in generale dal tipo di contesto e di interlocutore, **e l'esigenza di concisione** posta dalla situazione contingente. Non essere sbrigativi per non mancare di appropriatezza o di rispetto, ma non essere nemmeno inutilmente lunghi.

☞ Oltre al «fattore tempo», ci sono altre esigenze dovute all'opportunità del momento che possono modificare il tono più adatto a determinati contesti. Anche a un congresso di scienziati, dopo una giornata di lavori, quando finalmente ci si siede davanti a una buona cena, non è il caso di incaponirsi in un linguaggio scientificamente accurato; anzi, è probabile che a tutti sia gradito il passaggio a una certa superficialità e leggerezza. In un ambiente professionale improntato a serietà e riservatezza, se per qualche ragione si arriva ad affettare una torta e a stappare delle bottiglie di spumante, non è il caso di negarsi, anche verbalmente, una certa gaiezza e un tono di maggiore confidenza. In un club sportivo o in un circolo ricreativo dove si va sempre avanti a pacche sulle spalle e a battute disinvolte, una cattiva notizia o una celebrazione particolare possono indurre a maggiore serietà. Riflettere sui tratti che caratterizzano i vari registri linguistici può renderci più abili a mediare fra tutte queste esigenze.

Per mettere in pratica

Non esiste il Modo Giusto di parlare che vale in tutte le situazioni, esattamente come non esiste un abito adatto a tutte le occasioni. La stessa cosa si dice in modo diverso al professore durante l'esame, al professore durante una gita scolastica, al collega di lavoro, al superiore durante una riunione, al superiore durante una partita del torneo aziendale di bocce, a un amico del proprio figlio, a un amico di papà, a un compagno per convincerlo a fare qualcosa, allo stesso compagno per farlo arrabbiare, all'idraulico, alla mamma, a tuo fratello, al tuo ragazzo a pranzo, al tuo ragazzo in una notte di luna.

Spesso la scuola fa un errore: interviene per correggere il parlato e lo scritto informali dove è richiesta maggiore formalità, ma non fa l'inverso. Così molti di noi sui banchi di scuola si sono formati l'opinione che un discorso sia tanto migliore quanto più è formale. Che chi parla come un libro stampato parli meglio. Questo è verissimo in alcune occasioni, ma non in tutte. È indispensabile imparare a parlare come un libro stampato, ma bisogna anche imparare a capire quando è il momento di farlo e quando no. Certe barzellette richiedono un gergo da camionista ubriaco, e non farebbero ridere nessuno se raccontate con lo stile di un'annunciatrice tv. Per altre è esattamente il contrario.

Questo discorso è importante più di quanto si creda. Tornando al paragone col vestito, certamente è utile disporre di vestiti eleganti. Ma poniamo che uno ne abbia solo uno, e che lo metta in tutte le occasioni. Ci va a scuola, ci va al lavoro, ci sta in casa, ci va a giocare a pallone, ci va in campagna, ci va a teatro, ci va al cinema con gli amici, ce l'ha addosso quando si sdraia su un prato con la sua ragazza. (D'accordo, quel vestito durerebbe poco. Ma questo non serve al nostro paragone, e quindi poniamo che invece sia sempre in perfetto stato di conservazione.) La gente si accorgerebbe presto che quello è l'unico modo in cui quella persona si veste. Credete che lo si potrebbe ancora considerare un vestito elegante? Quando si presenta a una festa con quel vestito, la gente penserebbe che si è vestito in modo appropriato? No, penserebbe che si è vestito nell'unico modo in cui si sa vestire. Se fosse in tuta da ginnastica, sarebbe lo stesso. Non conta il vestito in sé, ma il fatto che uno l'abbia *scelto* in modo appropriato alla circostanza. A poco serve avere la cravatta a un ricevimento, se tutti si rendono conto che non te la levi mai.

Per la lingua è lo stesso. Il valore di un modo di esprimersi elevato o formale sta molto nel fatto che la persona lo sa scegliere come lo stile più appropriato a quella circostanza. Chi si esprime solo in modo formale è ovviamente strano e disadattato nei contesti «tranquilli»; ma per quelli che lo conoscono, il suo modo di esprimersi ha poco di apprezzabile anche nei contesti in cui sembrerebbe appropriato. Parla così, semplicemente perché non sa parlare in un altro modo. Proprio come uno che sappia solo parlare in modo becero. Il modo di parlare è diverso, ma la padronanza di sé e delle situazioni è scarsa in entrambi i casi.

☞ È veramente bravo e fa veramente buona impressione **chi sa cambiarsi d'abito e mettere l'abito giusto in ogni circostanza**. Chi sa parlare di geometria in maniera precisa, di poesia in maniera ispirata, di calcio in maniera competente o divertente, d'amore in maniera dolce. Oppure d'amore in maniera divertente e di matematica in maniera ispirata, se una circostanza particolare o la sua creatività glielo suggeriscono. Per far questo bisogna essere padroni della lingua. Dominare la sua varietà. Saper distinguere fra i diversi possibili modi di esprimersi. Coglierne le sfumature. Dunque conviene impegnarsi almeno sulle seguenti abitudini:

● **Ascoltare e leggere, leggere e ascoltare molte cose diverse, appartenenti a registri diversi**. Teatro e cinema, fumetti, conferenze scientifiche e letterarie, conversazioni da trivio, da bar e da accademia, libri (poesie, romanzi, umorismo, saggistica), lezioni universitarie e commenti sportivi. Niente guasta, purché si riesca a...

● **Riflettere attentamente sulle caratteristiche di ciascun discorso o testo con cui si viene a contatto**. Non lasciarsi semplicemente condizionare all'imitazione dei modelli che ci sono più congeniali, ma mettere a fuoco la differenza che c'è fra dialetto, gergo, italiano regionale, italiano spontaneo, curato e letterario. Accorgersi di come cambiano le parole e le regole della lingua.

● **Comprendere l'effetto che produce ogni sia pure microscopica scelta linguistica**, che si tratti del ricorso a una parola invece di un'altra, a un tratto grammaticale più o meno «curato», a una figura retorica o a uno specifico tono di voce. Imparare a mettere in relazione queste scelte con le situazioni e gli scopi del comunicare. «Riascoltarsi» e valutare se si è ottenuto di esprimere ciò che si voleva, e nel modo che si voleva.

● **Allenarsi a partecipare a conversazioni di tenore anche molto diverso**. Non trincerarsi nel silenzio quando si è in ambienti poco familiari, e non «chiamarsi fuori» in qualsiasi ambiente quando il discorso prende una piega troppo colta o troppo dimessa rispetto al nostro modo abituale di esprimerci. «Buttarsi», sia pure con moderazione e prudenza; cercare di adattare il nostro dire alle esigenze della situazione, studiare l'effetto che provochiamo e far tesoro dell'esperienza per migliorare.

● **Non perdere di vista, oltre al grado di formalità richiesto dalla natura degli interlocutori e del contesto, anche la situazione contingente in cui ci si trova a parlare**. Sapersi adattare a momentanee esigenze di particolare concisione, serietà, oppure gaiezza, «leggerezza» e così via.

6.

Non lasciarsi plagiare, e saper persuadere

Presso i nostri padri greci e romani l'arte di persuadere era legata essenzialmente a due usi. Quello giudiziario, con il fine di vincere le cause, e quello politico, con il fine di ottenere le cariche pubbliche, il consenso popolare per i propri progetti, l'obbedienza e la fedeltà delle truppe. Forse vi vengono in mente grandi modelli come Lisia, Isocrate, Cicerone, Cesare e molti altri. Per quanto si tratti di finzione mitica e letteraria, uno degli esempi più affascinanti di discorso mirabilmente persuasivo è l'«orazion picciola» con cui nel canto XXVI dell'Inferno Ulisse racconta (in nove endecasillabi) di aver reso i suoi compagni, un minuto prima recalcitranti, «sì aguti al cammino» da poterli trattenere a stento. Ebbene, che forme ha preso oggi il mito di Ulisse il Persuasore?

Civiltà della persuasione

Nella civiltà contemporanea di modello «occidentale», che ormai sta conquistando il mondo intero, una delle dinamiche fondamentali è quella della comunicazione. Lo sviluppo senza precedenti dei mezzi di comunicazione di massa permette in sostanza di far giungere qualsiasi messaggio a tutti i membri della società. Dato però che diffondere messaggi su vasta scala è costoso, la maggior parte delle cose che vengono comunicate hanno lo scopo di produrre un grosso ritorno economico. Questo guadagno può essere diretto: la gente paga per ricevere notizie, per assistere a spettacoli, ecc.; oppure il ritorno può essere indiretto: chi assiste a un messaggio adotterà i comportamenti voluti da chi lo ha prodotto. Per esempio, voterà un certo candidato o un certo partito politico, oppure comprerà certi prodotti. Dunque i messaggi per i quali la gente non paga direttamente puntano ad essere persuasivi. Molto persuasivi. E come è noto questa funzione persuasiva dei messaggi stampati e teletrasmessi ha ormai un ruolo centrale nella nostra civiltà. La persuasione su vasta scala è divenuta uno dei pilastri dei sistemi politici ed economici moderni.

Questa constatazione induce a una riflessione: **oggi più che mai saper persuadere è un'arte redditizia**. Ma non solo: oggi più che mai conviene essere a conoscenza dei meccanismi attraverso i quali avviene la persuasione, perché mai prima d'ora l'individuo è stato altrettanto sottoposto al rischio di essere plagiato, e condizionato nei suoi comportamenti. Per difendersi da una pressione persuasiva senza precedenti, e per mantenere la nostra autonomia di pensiero e di comportamento, bisogna diventare capaci di riconoscere la componente persuasiva presente in ogni messaggio. Questa componente, proprio per essere meglio persuasiva, è spesso nascosta o mimetizzata. In questo capitolo metteremo a nudo e cercheremo di smascherare alcuni dei trucchi (quelli di natura linguistica) di cui si serve la comunicazione tendenziosa.

Strategie della persuasione

Il sistema più ovvio per essere convincenti è possedere buoni argomenti. Di questo parleremo più avanti nel corso di questo capitolo.

Ma esistono anche altri sistemi. Siccome, oltre che di immagini, i messaggi persuasivi sono composti soprattutto di parole, le strategie della persuasione consistono per una parte rilevante in specifici modi di usare la lingua. Renderci conto di quali sono questi modi ci consente da un lato di usarli a nostra volta per essere persuasivi; dall'altro ci consente di accorgerci quando qualcuno li sta usando per plagiare noi, e di reagire con la nostra autonomia di giudizio.

Concentreremo la nostra attenzione sulla lingua della pubblicità.

Caratteristiche linguistiche dei messaggi persuasivi

La civiltà moderna ha conservato l'antica importanza della persuasione nella vita politica e nelle aule dei tribunali, ma soprattutto, divenendo in maniera preponderante una civiltà dei consumi, ha sviluppato un nuovo campo di uso della parola per convincere: il convincere a comprare. Questa pratica, assai più delle vecchie, permea ogni istante delle nostre vite: è la pubblicità.

La pubblicità si serve dei suoni, delle immagini, del prestigio o della simpatia di personaggi famosi, dell'attrazione di origine ormonale che un bell'esemplare dell'altro sesso esercita su ognuno di noi. E si serve anche del linguaggio. In questo paragrafo ci occuperemo di come si possa usare sottilmente la grammatica per persuadere. E soprattutto, cercheremo di attrezzarci per non essere presi troppo facilmente per il naso da chi usa trucchi linguistici per persuadere noi.

LA REGOLA GENERALE: MAI TROPPO ESPLICITI

In una prima fase «ingenua», la pubblicità si limitava a dir bene del prodotto. Ma il pubblico si è presto saturato, e ha sviluppato una diffidenza che lo porta a dire: *loro sostengono che è ottimo, ma chi me lo assicura? Anzi, il fatto che loro lo dicano non significa niente. Lo dicono solo per convincermi a comprarlo. E io non lo compro!* Allora la pubblicità si è evoluta. Ha capito che non conviene affermare troppo nettamente che il prodotto è buono, per non stimolare lo spirito di contraddizione dei potenziali acquirenti. Piuttosto, conviene creare un senso di simpatia e un alone di prestigio intorno al prodotto. Se una pubblicità dicesse: *chi beve questo liquore appartiene all'alta società* risulterebbe molto antipatica, e comunque pochi ci crederebbero perché si vede subito che è una cretinata.

125

Ma se le immagini mostrano dei tizi vestiti molto bene in una casa stupenda che hanno molto tempo da perdere e lo passano bevendo quel liquore, saremo noi stessi che, senza nemmeno accorgercene, in futuro lo sentiremo associato a un'alta condizione sociale.

Gran parte della pubblicità attuale segue questa regola aurea: **non dire esplicitamente la cosa che ti sta a cuore, ma falla passare nella mente del pubblico per via indiretta**. A questo servono le immagini e i suoni. A questo servono le ragazze nude. Ma a questo può servire anche il linguaggio. Esistono infatti molti modi di «dire le cose» senza dirle esplicitamente.

USO ASTUTO DEI SUONI

Qualche anno fa ho tratto da una rivista specializzata l'elenco di tutte le auto di media e alta cilindrata vendute in Italia. Alcune case assegnano ai loro modelli una sigla alfanumerica con motivazioni tecniche. Altre scelgono dei nomi, spesso fantasiosi. Certamente la scelta dei nomi è guidata dal desiderio di vendere il più possibile. Fra questi nomi di automobili ho fatto una scoperta sorprendente: più della metà contenevano una r doppia o vicina a un'altra consonante, per esempio *tr*, *pr*, *cr*, *dr*, *gr*, *rd*, *rb*. Non poteva essere casuale. Questi nessi consonantici riproducono approssimativamente il rumore di un motore. Dunque una sensazione di potenza e dinamismo tecnologico è comunicata dai suoni stessi di nomi come *Prisma*, *Dedra*, *Trevi*, *Tempra*, *Croma*, *Lantra*, *Calibra*, *Astra*, *Vectra*, *Maestro*, *Primera*, *Patrol*, *Escort*, *Scorpio*, *Sierra*, *Terra*, *Corrado*, *Accord*, *Biturbo* e altri. Anche alcuni nomi-numero probabilmente non per caso contengono i suoni desiderati: *Trentatré*, *Quattro*, *Centosessantaquattro*. Insomma, senza bisogno di dire niente in modo esplicito il nome fa nascere nel potenziale acquirente l'impressione voluta dal produttore. E l'acquirente neanche se ne accorge, perciò è molto difficile che pensi a mettere in discussione il contenuto di un simile messaggio. Molto più efficace che dire esplicitamente: «è una macchina potente».

La funzione non casuale di questi nomi delle macchine di

media e alta cilindrata è confermata da quelli delle utilitarie, che invece, dovendo esprimere simpatia piuttosto che potenza, sceglievano suoni meno vibranti: *Uno, Panda, Duna, Clio, Fiesta, Punto, Elba, Polo, Twingo* e così via.

C'EST PLUS CHIC

Scorriamo le pagine di una qualsiasi rivista femminile. Ci sono molte pubblicità di profumi. Quasi tutte sono in francese. Sia i nomi dei profumi che le *headlines* (le scritte principali) parlano quella lingua: *Shiseido Le Maquillage / Giorgio Armani Parfums / Eau de Toilette «IL» by Lancetti / Eau de Toilette Moschino pour homme / Fendi Parfum / Kenzo, ça sent beau. Eau de parfum. Eau de toilette / Phas grand soin anti-dessèchement nuit / Armani Parfum Lait Velours Corps*. Eppure molte case produttrici sono italiane, quando non giapponesi. E si rivolgono a un pubblico italiano che per lo più non sa il francese. Ma dare l'impressione che il tuo prodotto sia francese, paga. La gente compra più volentieri un profumo francese. E allora, anche se non posso dire esplicitamente che il mio profumo è francese, perché per esempio lo fabbrico a Yokohama o a Casalgrasso, lascio supporre che sia nato sotto la Tour Eiffel, mediante un nome o una didascalia nella lingua di Molière, Corneille e Stendhal. Non importa se il lettore non capirà cosa vuol dire *grand soin anti-dessèchement nuit*. Purché capisca che è francese.

Le case produttrici veramente parigine hanno molto da perdere in questa corsa a confondersi con loro. C'è da aspettarsi che contrattacchino in qualche modo. E lo fanno. Tutte, da Lancôme a Guerlain, da Orlane a Yves Saint-Laurent, aggiungono al loro marchio la dicitura: *Paris*. Questo, almeno, le altre non possono farlo.

Se il francese è la lingua dei profumi, l'inglese è quella della tecnologia. Dall'informatica agli elettrodomestici, dai motori alle attrezzature sportive, verificate voi stessi quanti prodotti vengono propagandati attraverso nomi inglesi del prodotto nel suo insieme o di sue parti fondamentali.

Veniamo adesso all'uso della grammatica vera e propria per «dire senza dire». Se io affermo:

1. attualmente la Francia ha un re

dico una cosa falsa, dato che la Francia è una repubblica.

Diverso è se dico:

2. l'attuale re di Francia è calvo.

Questa frase più che falsa è senza senso. Infatti non afferma che la Francia abbia un re, ma lo dà per scontato e invece afferma che questi sia calvo.

Ora, supponiamo che chi mi ascolta non sappia qual è il sistema di governo della Francia, e non abbia particolari ragioni per fidarsi di me. Quale delle due frasi ha più probabilità di convincerlo che la Francia è un regno?

La (1) può metterlo sul chi vive. Penserà: *mi dicono che la Francia ha un re, ma potrebbe non essere vero*. La (2) è più astuta, perché sembra che il suo scopo sia affermare che il re di Francia è calvo. Attira l'attenzione su questo. L'ascoltatore diffidente penserà: *e chi mi garantisce che sia davvero calvo?* Ma intanto non si sarà accorto di dare anche lui per scontato che esiste un re di Francia.

Questo meccanismo linguistico si chiama **presupposizione**. L'attenzione viene sviata su qualche altro contenuto, e il contenuto che interessa viene presentato come una cosa nota o addirittura ovvia. Nella frase (2) è asserito che il soggetto sia calvo, ma la sua esistenza non è asserita. È presupposta. Chi parla presenta l'esistenza del re di Francia non come una cosa detta da lui, ma come una nozione oggettiva, di comune dominio. È un procedimento molto persuasivo.

Cosa nella lingua ha il potere di attivare il meccanismo della presupposizione? Nel nostro esempio è l'insieme di articolo determinativo e nome a ottenere questo effetto. In italiano, ogni volta che si dice *il Pincopallo*, si presuppone che la cosa denominata Pincopallo effettivamente esista. Per esempio, se dico a qualcuno: *ieri ho visto il tuo amico terrorista*, presuppongo che lui davvero abbia un amico terrorista; se gli dico: *che fine ha fatto la tua sorella gemella?*, presuppongo che abbia una sorella gemella. Infatti è un po' strano dirlo a qualcuno che non abbia una sorella gemella. Ma se l'esistenza o non esistenza della cosa in questione non è già nota alla persona con cui parliamo, la frase può risultare sottilmente ingannatrice. Se dico a un amico: *ieri il mio vicino avvocato mi ha regalato una Ferrari Testarossa*, l'amico potrà dubitare che io abbia davvero ricevuto in regalo una Testarossa, ma d'ora in avanti crederà di sapere che io ho un vicino che fa l'avvocato. Questo anche se io ho solo una vicina estetista e un vicino sommozzatore.

Di frasi come quest'ultima o come quella in (2) è piena la pubblicità. Il procedimento è sempre lo stesso. Si asserisce una cosa, attirando su di essa l'attenzione di chi legge o ascolta; ma nel fare questo si presuppone qualcos'altro. Il lettore/ascoltatore, sviato dalla cosa che viene asserita e messa in primo piano, non si accorge del trucco ed è portato ad accettare senza discutere la cosa presupposta. È portato a crederla davvero un fatto noto e indiscutibile. Per esempio:

La freschezza di Jocca ha solo il 7% di grassi.

Apparentemente lo scopo di questo messaggio pubblicitario è di informare che Jocca contiene solo il 7% di grassi. Tuttavia non è qui il suo scopo persuasivo principale. Non occorre persuadere di un dato che è comunque obbligatoriamente disponibile su ogni confezione, e che gli acquirenti di prodotti poco calorici verificano sempre spontaneamente senza bisogno di essere incitati. Lo scopo principale del messaggio è nascosto dentro la presupposizione del sintagma soggetto con l'articolo determinativo: *la freschezza di Jocca*. La presupposizione è: *esiste la freschezza di Jocca*, cioè: *Jocca è fresco*. Lo scopo, ben mimetizzato, del messaggio è dare l'idea che il prodotto sia risaputamente dotato di una particolare (e invogliante) freschezza.

Ecco due altri esempi tratti da comuni rotocalchi. Tra parentesi riportiamo ciò che è presupposto dal sintagma «articolo + nome + eventuali aggiunte».

Weight Watchers. I peccati di gola che non fanno ingrassare.
(I prodotti W.W. sono dei «peccati di gola»)

Maionese Vive la vie. Il nuovo gusto ha meno grassi.
(Ha un nuovo gusto)

Se ci si pensa bene, anche in questi esempi l'informazione presupposta è più importante di quella asserita. Non occorre convincere il pubblico che i prodotti in questione sono dietetici. Questo il pubblico lo sa già e può verificarlo dagli ingredienti. Quello che veramente può invogliare una persona a dieta sono le idee di freschezza, di peccato di gola, di nuovo gusto.

Nei prossimi esempi, verificate voi stessi qual è l'informazione più importante per vendere il prodotto. Quella affermata direttamente nello slogan, o quella data per nota dal sintagma nominale con l'articolo determinativo, e resa esplicita nella nostra parentesi?

La sicurezza di Volkswagen non va mai in vacanza. Buone vacanze da Volkswagen.
(«La sicurezza di Volkswagen»→Le Volkswagen sono sicure.)

Tuffati nel piacere ghiacciato dei gusti arancio, limone, pompelmo, tè. Quando si accende l'estate, scegli l'infinita freschezza di Gatorade.
(«Il piacere ghiacciato... l'infinita freschezza»→Gatorade dà un «piacere ghiacciato» e un'infinita freschezza.)

Grazie alla sua tecnologia avanzatissima, potrete godervi l'abbraccio del sole con il massimo della libertà e il massimo della sicurezza. La sicurezza Multifilter.
(«La sua tecnologia avanzatissima... la sicurezza Multifilter»→la crema Multifilter è tecnologicamente avanzatissima, ed è «sicura».)

Sarebbe impensabile aspettarsi qualcosa di meno da un orologio che porta il leggendario nome Bulova.
(«Il leggendario nome Bulova»→il nome Bulova è leggendario.)

Oltre ai sintagmi nominali, anche certe frasi subordinate possono presupporre il loro contenuto. Come nell'esempio seguente, tratto dalla pubblicità delle linee aeree danesi:

E quando proverai una nuova emozione, avrai raggiunto la Danimarca che cercavi.

Lo slogan ha l'aria di informare il lettore su quale sarà il momento in cui potrà dire di aver raggiunto lo scopo del viaggio. In realtà quello che preme a chi ha confezionato il messaggio è dare per già note, sicure e scontate due cose:
• Tu proverai una «nuova emozione»;
• Tu sei in cerca di una qualche Danimarca (perciò ti serve un biglietto dell'aereo).
Queste informazioni sono contenute nella subordinata temporale introdotta da *quando* e nella relativa *che cercavi*, retta dal sintagma nominale con articolo determinativo *la Danimarca*. Si tratta di costrutti che hanno il potere di presupporre il loro contenuto.

L'esempio seguente è tratto dalla pubblicità di una nota marca di orologi:

Osservateli, e vedrete che anche quelli che vi affascinano di più non costano mai una cifra irraggiungibile.

L'astuto pubblicitario presenta come argomento del discorso il prezzo degli orologi, e intanto sottobanco presuppone (mediante una frase relativa) che questi «vi affascinano». La sua perfidia si spinge fino a dare per scontato, con molto realismo, che alcuni vi affascinino più di altri...
Probabilmente pian piano vi sta diventando chiaro come smascherare questo tipo di messaggi, che del resto non sono limitati all'uso pubblicitario. Anche in privato è possibile

servirsi dello strumento linguistico della presupposizione, per influenzare la conversazione di tutti i giorni. Ma non sempre è gentile farlo. Al tifoso di una squadra rivale posso dire: *la vostra ennesima figuraccia di domenica scorsa potrebbe costarvi la retrocessione*. In questo modo, con l'aria di parlare soprattutto della retrocessione, darò per scontato che la sua squadra collezioni figuracce. Presenterò quest'idea come se fosse un fatto noto e oggettivo, benché in realtà si tratti solo della mia opinione. Se l'altro non è agguerrito, potrebbe cascarci e accettare questa mia versione dei fatti, replicando semmai sulle probabilità di retrocessione. Se invece gli dicessi: *domenica scorsa avete fatto una figuraccia*, per prima cosa lui mi risponderebbe: *Non è vero niente*.

☞ Vediamo ora alcuni altri esempi tratti da pubblicità apparse su riviste, che contengono meccanismi leggermente diversi di sviamento dell'attenzione. Notate come la lingua disponga veramente di molti costrutti e molte parole che hanno l'effetto di presupporre qualcosa. Sotto ogni esempio riporteremo tra parentesi il contenuto presupposto. Fate sempre caso a come si tratti dell'informazione su cui il pubblicitario fa veramente affidamento per vendere il prodotto. Il contenuto apparentemente centrale della frase è in realtà soltanto uno specchietto per le allodole, che attira su di sé l'attenzione e lo spirito critico del lettore. In altre parole, la cosa asserita esplicitamente serve soprattutto a «difendere» la cosa presupposta, a distrarre il lettore perché non gli venga in mente di dubitare di ciò che è presentato come noto e scontato. Verificate, infine, in quanti casi il contenuto presentato come già noto e assodato lo sia veramente: al contrario, molte delle cose che riportiamo fra parentesi sono opinioni arbitrarie di chi promuove il prodotto.

Dolcificante Poko. Buono come lo zucchero. Sicuro come l'aspartame.
(L'aspartame è sicuro.)

Dicendo «sicuro come X» si presuppone che la cosa X sia molto «sicura». Lo si presenta come un'ovvietà. Ben diverso, e meno convincente, sarebbe asserire esplicitamente: «l'aspartame, contenuto in questo prodotto, è sicuro». Il potenziale acquirente sarebbe indotto (e con buone ragioni) a dubitarne. Si noti fra l'altro il ricorso all'ambiguità del termine «sicuro», che è genericamente positivo ma che potrebbe riferirsi sia alla sua dieteticità che al suo non nuocere alla salute. L'ambiguità del termine rende impossibile sottoporre il messaggio a un vero e proprio giudizio di vero/falso. Al destinatario che non si metta decisamente d'impegno per verificarlo, non rimane che subirlo nella sua generica positività. Questo è naturalmente ciò che accade nella stragrande maggioranza dei casi.

La struttura comparativa vista in questo esempio è all'opera anche nel seguente:

Crema Body System. Tratta il corpo come il viso.
(Tratta entrambi bene.)

Ancora una volta, il messaggio evita di asserire la cosa fondamentale, ma la lascia supporre. Se asserisse: «tratta bene il corpo e il viso», il lettore sarebbe indotto a dubitarne. Ma con il messaggio così com'è congegnato, il lettore «arriva da solo» all'idea che la crema in questione tratta bene la pelle per ogni dove. Essendo una conclusione a cui arriva da solo, come potrebbe trovarci da ridire?

Friskies Suprême nella nuova confezione più grande. Tutti i gatti che si rispettino da oggi sceglieranno Friskies Suprême. Furbi, loro... così oltre alla qualità, non dovranno rinunciare neanche alla quantità.
(Friskies rappresenta la qualità.)

L'esempio precedente è veramente tipico. La struttura linguistica con *oltre X anche Y* consente di presentare X come qualcosa di scontato, ovvio, già noto, rispetto a cui la cosa nuova ed eventualmente da verificare è Y. Qui è detto: *oltre alla qualità*, *la quantità*, quasi che la qualità di Friskies fosse cosa ovvia e garantita, e la cosa preziosa e difficile da ottenere fosse la quantità. Ma a ben guardare, il discorso sulla quantità nella confezione più grande è pressoché irrilevante, perché non è dalle dimensioni della scatoletta (peraltro pagate con un maggior prezzo) che dipende la porzione data al gatto. Ciò che veramente preme al pubblicitario è contrabbandato in quel breve inciso: *oltre alla qualità...*

Lascia che Philips ti apra gli occhi.
(Finché non compri un Philips li stai tenendo chiusi.)

Il verbo *aprire* presuppone che la cosa in questione fosse chiusa. Non posso dire a qualcuno *apri la porta* se questa è già aperta. Dunque, il semplice fatto di usare questo verbo genera in maniera strisciante l'impressione che da qualche punto di vista gli occhi del potenziale acquirente sono ancora chiusi.

Detersivi Atlas. Tre nuovi prodotti per continuare a darvi dei risultati straordinari, con un'attenzione per l'ambiente sempre più grande.
(Atlas detersivi ha già dato risultati straordinari, e ha già avuto una grande attenzione per l'ambiente.)

Il verbo *continuare* presuppone, senza affermarlo esplicitamente, che un certo processo sia già in atto. Dimostrare che Atlas dà risultati straordinari sarebbe compito arduo, e difficilmente si potrebbe giungere a convincerne massicciamente i potenziali acquirenti. Senza fare questo sforzo, lo slogan preferisce passare direttamente a dire che questi risultati continueranno in futuro. Ma così facendo (potenza della presupposizione!), riesce a generare senza fatica nella coscienza del lettore/ascoltatore proprio la convinzione che quei risultati ci fossero già.

Inoltre, nello stesso slogan, la struttura *sempre più x* presuppone che il valore x fosse già grande in origine. *Questo bambino è sempre più cattivo* presuppone che già da tempo fosse cattivo, e non si può pronunciare se si pensa che lo sia appena diventato. Dunque, *un'attenzione per l'ambiente sempre più grande* è una scorciatoia per risparmiarsi di asserire e dimostrare la (supposta) grande attenzione per l'ambiente che Atlas avrebbe già da tempo.

... E mi sono sentito grande con la mia prima Alfa.
(Quell'Alfa Romeo non è stata l'ultima. Ne ho poi comprate altre. Chi compra un'Alfa non smette più.)

Il mio primo X presuppone che inizi una serie abbastanza lunga. L'effetto è di generare, senza che il destinatario se ne accorga, l'impressione che le Alfa convincano a tal punto da farsi ricomprare. Decisamente sarebbe stato meno efficace asserire qualcosa del tipo: *guardate che le Alfa sono talmente soddisfacenti che se ne compri una poi continui a comprarle.* Infatti, presentata così esplicitamente, la teoria si presta molto meglio ad essere messa in discussione. E appena uno ci pensa un po' vede che si sono molti controesempi, casi di persone che dopo un'Alfa hanno comprato una Ford, una Renault o magari... una bicicletta.

Siete ancora competitivi?
(Lo siete stati. Sarebbe un peccato cessare di esserlo. Potete evitarlo comprando i nostri prodotti per ufficio.)

Questo slogan sfrutta il potere presuppositivo dell'avverbio *ancora*. Se dico: *Gianni è ancora malato*, non solo informo il mio interlocutore che Gianni non sta bene, ma anche, implicitamente, che la malattia dura da un po'. Lo slogan avvalora, senza asserirla esplicitamente, l'idea che i destinatari siano stati finora competitivi (cosa che questi tra l'altro saranno propensi a credere). Ora, si dà il caso che non essere competitivi sia spiacevole, ma smettere di esserlo se lo si è stati sia molto più spiacevole ancora. Per di più, l'accostamento della domanda in questione alle immagini dei prodotti per ufficio genera l'impressione, ancora una volta senza asserzioni esplicite che risulterebbero semplicemente ridicole, che la risposta al problema stia proprio in quelle scrivanie e in quei portapenne.

Anche d'estate, se non giochi, non vinci.
(Anche nelle altre stagioni, se giochi, vinci.)

Questo slogan del Totip sfrutta la presupposizione associata alla parola *anche* e quella della struttura *se non fai X non avviene Y*, che presuppone: 'se fai X avviene Y'. La seconda parte della frase infatti presuppone che «se giochi, vinci», sfruttando l'analogia con casi come il seguente: qualora io mi trovi in cucina e dica a mio fratello: *se non accendi il fuoco sotto la pentola, l'acqua non bollirà mai*, sottintendo che invece accendendo il fuoco l'acqua bollirà.

Veniamo ad *anche*: la formula *anche X* presuppone sempre *tutto ciò che non è X*. *Anche i ricchi piangono* presuppone innanzitutto che piangano i non ricchi. Supponiamo di trovarci con un amico su una barca, e che a questo amico non riesca al primo tentativo di fare un nodo barcaiolo. Supponiamo allora di dirgli: *sai, anch'io sono un completo imbranato coi nodi*. Non saremmo molto gentili perché, pur senza asserirlo esplicitamente, dicendo *anch'io* daremmo del completo imbranato a lui. In altre parole, lo asseriremmo per noi e lo presupporremmo per lui. E invece magari è stato un caso, era distratto, in realtà lui è un asso dei nodi e può fare a occhi chiusi, con una mano sola, il barcaiolo, il nodo piano e la gassa di amante. Qualcosa di simile accade nello slogan in questione. La frase asserisce per quanto riguarda l'estate, e presuppone per le altre stagioni, che se giochi vincerai. E invece...

Blanco e stecco ducale: tu da che parte stai?
(Tu «stai» almeno con uno dei due gelati.)

Questo slogan (perfidissimo) sfrutta la presupposizione associata a ogni domanda che ammette due alternative come risposta. *Da che parte?* dà per assodato che la risposta sia una delle due. E così il malcapitato destinatario del messaggio si ritrova, senza averlo saputo prima, a «stare dalla parte» di un gelato Sammontana. A questo si aggiunga che il cartellone presenta l'immagine divisa in due di una ragazza così carina, ma così carina, che davvero è difficile stare da un'altra parte.

Cento per cento Yoga.
(Yoga è cosa ottima, del tipo di cui si vuole che sia purissima.)

Espressioni del tipo *100% X* sono usuali a proposito di sostanze o caratteristiche di cui è desiderabile avere il 100%. Ad esempio, nei succhi di frutta: *100% arancio, 100% albicocca.* Oppure nelle scarpe: *100% vera pelle.* O in prodotti informatici: *Testato, 100% esente da errori.* Insomma, siamo abituati al fatto che ciò che segue la dicitura «*100%*» è sempre qualcosa di altamente positivo. Per questo lo slogan in questione è un modo davvero brillante con cui dare per scontata la bontà di Yoga.

È semplicissimo sostituire la vecchia lampadina avvitando al suo posto Halolux.
(Tu vuoi sostituire la «vecchia» lampadina.)

Possibile che la ditta che produce lampade al neon Halolux spenda miliardi in pubblicità per convincerci che è facile avvitarle? Nessuno ha ragione di dubitare che la filettatura dello zoccolo delle lampade Halolux sia uguale a quella di tutte le altre, e dunque facilissima da avvitare. In realtà anche questo slogan ha uno scopo nascosto. E anche questo slogan sfrutta l'esistenza di un'abitudine linguistica. Quasi tutte le volte che si dice: *è semplicissimo fare X*, X è una cosa che si desidera fare. Se non fosse così, non avrebbe molto senso mettersi a parlare per dire che è facile. Di conseguenza, dire che è semplicissimo sostituire Halolux al posto della vecchia lampadina ha lo scopo di dare per scontato che *desideravamo* farlo. Un attimo prima neanche sapevi che quelle lampade esistevano, e un attimo dopo senza accorgertene sei già uno che desiderava avvitarle (e che naturalmente può farlo quando vuole perché «è semplicissimo»!). Ecco il perché dei miliardi.

«Ceretta a caldo». Ancora alle prese con pentolino e fornello? Nuovo Lady Braun Epilette. Finalmente la tua ceretta a caldo a casa, comodamente.
(Pentolino e fornello sono male, Nuovo Lady Braun Epilette è bene.)

L'esempio precedente «dice senza dire» grazie al particolare valore degli avverbi *ancora* e *finalmente*. Un buon modo per accorgersene è provare a invertire i membri: «*Ceretta a caldo». Ancora alle prese con Lady Braun Epilette? Pentolino e fornello. Finalmente la tua ceretta a caldo a casa, comodamente.*
Poco dopo la caduta del Muro di Berlino, le videocassette TDK si promuovevano su cartelloni e giornali con questo slogan, messo accanto all'immagine della Porta di Brandeburgo gremita di folla festante:

Le immagini della storia meritano TDK.

Quando si dice *X merita Y*, Y è sempre qualcosa il cui valore positivo o negativo è noto e fuori discussione. Ciò che è sottoposto a giudizio di valore è X, e il ben noto valore di Y serve proprio a esprimere questo giudizio. Un comportamento che merita una punizione esemplare (per es.: *la forca*) è dunque un comportamento cattivo, mentre un'azione che merita un premio speciale (per es.: *un bacio*) è un'azione lodevole. Se dico che un ragazzo merita degli sci ottimi, intendo dire che scia molto bene. Se si afferma che una vecchia cascina merita un intervento di ristrutturazione coi fiocchi, è per dire che il fabbricato è molto promettente. Nello slogan in questione, la cosa X sottoposta a giudizio è rappresentata nientemeno che dalle immagini della caduta del muro di Berlino, di cui viene detto che meritano di essere filmate con videocassette TDK.

Dunque le cassette TDK sono la cosa il cui ben noto e indubbio valore ci dà la misura dell'importanza di quelle immagini! Insomma, il messaggio è: dato che non lo sapete da soli, se volete rendervi conto di quanto affascinanti e storicamente cruciali siano le immagini della caduta del muro di Berlino, be', pensate che meritano di essere filmate nientepopodimenoche con CASSETTE TDK!

Quanta fatica per non sostenere esplicitamente che le videocassette TDK sono il non plus ultra... eppure non è fatica sprecata, perché asserirlo direttamente sarebbe assai meno convincente.

Quando serve essere persuasivi?

Un'attenta lettura dei paragrafi precedenti, relativi alle caratteristiche linguistiche dei messaggi persuasivi, dovrebbe rendere più capaci di riconoscere gli ingredienti di eventuali tentativi di persuasione occulta, o perlomeno camuffata. Ma dovrebbe anche suggerire come servirsi a propria volta dei meccanismi linguistici per essere più persuasivi.

Se usate con misura, strutture linguistiche come quelle che abbiamo visto in mano ai pubblicitari possono servire anche a noi. Per esempio, agli esami; oppure nei colloqui di vario tipo che si presentano per lavoro; nei rapporti con persone che può essere utile conquistare al nostro parere, come per esempio vicini di casa, condòmini, inquilini, soci in affari, partner recalcitranti, compagni di squadra; nella soluzione di questioni legali o di interesse; e così via.

Ma certamente è meglio non esagerare, e affidare solo in modesta misura la nostra persuasività a questi espedienti. **Il modo migliore di persuadere è quello di saper esporre in maniera chiara dei solidi argomenti**. I trucchi lasciamoli ai pubblicitari, che spesso devono convincere la gente a fare cose per cui non esiste nemmeno un motivo valido.

Persuadere con la chiarezza

Il nostro scopo può essere quello di persuadere l'interlocutore di certi contenuti. Per esempio, che spettava a lui darci precedenza all'incrocio fra viale dei Mille e via Passavanti, dove le nostre rispettive auto figurano attualmente sotto forma di groviglio di lamiere contorte. In altre situazioni, cioè nei contesti di valutazione, lo scopo può essere di persuadere chi abbiamo davanti che noi siamo bravi e meritevoli. In entrambi i casi, la cosa più efficace è rivolgere all'interlocutore un **discorso ben organizzato**. Un discorso che procede da premesse, ne deduce degli argomenti e ne conclude delle conseguenze risulta più convincente di un discorso che salta disordinatamente di palo in frasca. E dà anche una migliore impressione di chi lo ha prodotto.

Costruire discorsi ben strutturati è un'arte lunga da imparare, ed esula un po' dalla nostra trattazione sull'italiano; ma una cosa si può dire qui molto in breve: per costruire utilmente un discorso, quale che ne sia l'argomento, conviene riflettere prima su cosa si vuol dire. Questo è quasi sempre possibile, perché chi non fa di professione l'uomo politico o il presentatore tv difficilmente prende l'iniziativa di parlare se non ha assolutamente niente da dire. Si tratta solo di mettere a fuoco il nostro pensiero, per poter organizzare il discorso di conseguenza.

☞ Per esempio, nel caso del conflitto all'incrocio dopo l'impatto, gli argomenti andranno messi più o meno in quest'ordine:

a. Io ho di lei il massimo rispetto, e non le sono nemico. Mi dolgo quanto lei dell'accaduto.

b. Il nostro scopo comune è far trionfare la giustizia, mi corregga se sbaglio.

c. Il codice prescrive che chi proviene da destra abbia la precedenza, se non altrimenti stabilito da appositi segnali.

d. A questo incrocio non ci sono segnali di STOP o indicazioni di dare precedenza.

e. Io provenivo da destra e lei da sinistra.

f. *Ergo*, era lei che doveva fermarsi per lasciare libero l'incrocio a me.

g. Sarà dunque la società presso cui lei è assicurato a dover rifondere a me le spese di rimozione, meccanico, carrozziere, clinica ortopedica, tristezza e smarrimento morale postoperatori, lucro cessante per assenza dal lavoro, danni morali dovuti al valore affettivo del veicolo che casualmente era un regalo di mia suocera, eccetera.

h. Ho qui non per caso un modulo predisposto per la constatazione amichevole di sinistro: vorrebbe gentilmente sottoscrivere con me che lei proveniva da sinistra, secondo lo schema dell'incrocio che ora disegniamo insieme?

i. Grazie, è stato veramente un piacere andare a sbattere contro di lei.

Quanto più si modifica questo ordine degli argomenti, tanto meno il discorso risulta comprensibile e convincente. Per esempio, che senso avrebbe sottoporre subito il modulo per la firma se ancora non si è chiarito cosa bisogna scriverci? Oppure dichiarare subito di aver ragione, senza prima rendere espliciti gli argomenti su cui poggia questa convinzione? Eppure l'emotività spesso gioca brutti scherzi, e comportamenti di questo genere sono comunissimi. Ancora più comune è l'omissione di una qualche esplicita o implicita manifestazione di rispetto per l'interlocutore (punto a), premessa indispensabile per qualsiasi dibattito, che invece viene sostituita nella maggior parte dei casi da espressioni che qui non possiamo ripetere nella loro interezza.

Produrre discorsi ben organizzati è ancora più importante quando si scrive, per una somma di ragioni. La prima è che **quando si scrive c'è più tempo che quando si parla**, e dunque siamo tutti abituati al fatto che chi scrive organizza meglio le proprie idee. Dunque le eccezioni fanno pessima impressione.

La seconda ragione è che **un discorso scritto può essere letto in un luogo e in un momento diverso da quelli in cui è stato prodotto**. Nel luogo e nel momento in cui viene letto, potrebbero non essere più tanto evidenti le circostanze a cui il discorso si riferisce, e dunque queste circostanze devono essere rese esplicite. Per esempio, se all'incrocio fatidico era immediatamente comprensibile un esordio come: *accidenti, non le pareva di andare troppo forte per immettersi da sinistra in un incrocio?*, nella lettera che indirizzerò al mio avvocato dovrò chiarire le circostanze: *transitavo in viale dei Mille all'altezza di via Passavanti, quando il sig. Taldeitali, al volante della sua Prinz verde, provenendo da via Passavanti, si immetteva a velocità sostenuta...* eccetera.

Inoltre i testi scritti hanno spesso finalità speculative che nell'oralità sono appannaggio quasi solo di lezioni e conferenze (le quali del resto quasi sempre preesistono in una qualche forma scritta) e delle risposte a domande complesse in sede d'esame. Comunque, quando un discorso (scritto o orale) ha lo scopo di avvalorare una tesi o di descrivere in maniera organica e a un alto livello di approfondimento uno stato di cose, è bene che non manchi di alcuni ingredienti essenziali:

• **La definizione del contesto in cui si sta parlando.**

(Es.: Il problema della fame e della povertà nel mondo è affrontato da molti punti di vista: teorie economiche, postcolonialismo, teorie dell'alimentazione, piani di rilancio agricolo, climatologia, eccetera. Io qui mi occuperò degli aspetti sociopolitici...)

• **L'enunciazione della tesi che si vuole sostenere.**

(Cercherò di evidenziare che si tratta in misura notevole di un problema educativo, cioè di educazione delle persone che vivono nel mondo ricco...)

• **L'enunciazione delle premesse fattuali e degli argomenti legati concettualmente a queste e alla tesi da relazioni di causa-effetto.**

(Le risorse disponibili sono limitate. Quando noi ricchi sprechiamo risorse ne priviamo il mondo intero. Chi soffre di più di una carenza è chi non ha ricchezza a sufficienza per procurarsi a caro prezzo ciò che scarseggia. Inoltre, la ricchezza del nostro sistema economico poggia sullo sfruttamento della manodopera dei paesi poveri e ignoranti. La gente da noi accetta di partecipare allo sfruttamento del terzo mondo, in parte perché è ignorante delle condizioni in cui esso vive, in parte perché ignora in che misura in realtà lo sfrutta, e in parte perché sotto sotto considera i negri e gli asiatici fondamentalmente inferiori. Queste forme di ignoranza possono essere corrette...)

- **La ri-deduzione della tesi dalle premesse e dagli argomenti**.

(Dunque, se si educa la gente al rispetto dell'altro, anche di colore diverso, e se si fa capire a tutti che i miei sprechi e le mie abitudini consumiste poggiano sulla sofferenza dei bambini poveri; in una parola: se si educano le persone, qualcosa può cambiare in meglio.)

Un altro aspetto della chiarezza che si può imparare dall'uso scritto è che **è meglio non lasciare frasi o discorsi a metà**. Per esempio, anche se non desterebbe stupore nel parlato, a meno di voler esplicitamente imitare il parlato stesso non si potrebbe scrivere una frase come (1):

1. Sai, oggi come oggi tutti hanno la macchina, e tutti vogliono andare in centro senza muovere neanche un passo a piedi, quindi..., sai com'è...

Quando parliamo, se lasciamo una frase a metà questo può significare due cose:

A. che per noi la conclusione è chiarissima, al punto che ci pare superfluo renderla esplicita. Ma chi ci garantisce che sia altrettanto chiara per chi ci ascolta? Dalla (1) dobbiamo concludere che chi parla vuol dire che in centro non si trova parcheggio, oppure che c'è molto inquinamento, oppure che tutti tendono a possedere almeno un'utilitaria con cui destreggiarsi meglio nel traffico, oppure che è giunta l'ora di comprare tutti un motorino, oppure che ormai l'unica è andare ad abitare in campagna, o qualcos'altro ancora?

B. Che la conclusione non è chiarissima neanche per chi parla. Per esempio, se a un esame lo studente pronuncia l'enunciato (2):

2. Il Leopardi era figlio di un nobile dalle idee estremamente conservatrici, e dunque... be'...

è inutile che faccia sorrisi ammiccanti come a dire: «il seguito è ovvio, ne abbiamo parlato a lezione». Il professore vuole appunto vedere se lo studente è capace di trarre delle conclusioni precise da ciò che ha detto. Naturalmente si possono trarre diverse conseguenze dalle posizioni ideologiche di Monaldo Leopardi, ma per capire come funziona l'intelletto di un esaminando è cruciale vedere quali conseguenze decide di trarre lui, e con quali passaggi logici le motiva. Se lo studente lascia la cosa in sospeso il professore ne deduce, e di solito non a torto, che lo studente ricorda il fatto del conservatorismo del padre di Giacomo Leopardi, e ricorda anche che bisognerebbe trarne delle conseguenze; ma ahilui, non è lucidissimo su quali conseguenze e sui modi per arrivarci. Tutto questo si esprime in decimi o in trentesimi, naturalmente.

Se durante un briefing aziendale, interpellati sulla strategia da attuare in un investimento, diciamo qualcosa come (3):

3. Il costo del denaro resterà stazionario, abbiamo una liquidità insufficiente ma possiamo contare sul sostegno delle banche, e quindi...

sarà meglio che andiamo avanti fino alle conclusioni. Se siamo stati interpellati è perché si vuole sentire il nostro parere, non perché tutti i presenti vogliano giocare a indovinarlo.

Riappropriarsi di un argomento

Un caso particolare del persuadere qualcuno della propria padronanza di un argomento è quella che potremmo chiamare *riappropriazione* di un contenuto. Si tratta di un comportamento linguistico piuttosto sottile, non facilissimo da capire e neanche da mettere in pratica. Vediamo in cosa consiste.

Può succedere che il nostro interlocutore menzioni un fatto o un'idea prima (o invece) che lo facciamo noi, e che questo ci danneggi perché se lo avessimo fatto noi sarebbe stato un punto a nostro favore, poniamo, in un esame. Che fare? Come convincerlo che avevamo già intenzione di dire quella cosa?

Certo serve a poco uscirsene con un «volevo dirlo io». In sede di esame, chi ci crederebbe? Ma esiste un mezzo più sottile e meno evidente, che in fondo appartiene sempre al genere del «dire senza dire» da noi esplorato in precedenza.

☞ Per esempio, durante un esame di letteratura italiana in cui il professore abbia chiesto all'esaminando di parlare dei poeti siculo-toscani, e questi abbia parlato per un po' senza nominare la tradizione provenzale, che notoriamente è il principale modello a cui si ispirano i primi poeti di area italiana, il professore a un certo punto potrà interromperlo per segnalargli la dimenticanza, dicendo qualcosa come: *Lei non mi ha detto della notevole influenza dei poeti provenzali sulla poesia italiana delle origini.* A questo punto lo studente potrà reagire, ad esempio, dicendo:

1. La poesia provenzale ebbe molto influsso sui poeti siculo-toscani perché era la tradizione letteraria più vicina e più matura...

ma potrà anche invertire l'ordine delle frasi:

2. Poiché era la tradizione letteraria più vicina e più matura, un notevole influsso sui poeti siculo-toscani lo ebbe la poesia provenzale...

Non è facilissimo vedere la differenza fra le risposte (1) e (2), ma la seconda è destinata ad avere un effetto leggermente migliore sull'esaminatore. Mettere *la poesia provenzale* nella prima frase dà l'idea che lo studente riprenda il concetto pari pari dall'intervento del professore e, come richiesto, ne dica qualcosa. L'impressione è che la frase dello studente sia la semplice continuazione di quella del professore. Invece, mettere il concetto in questione alla fine (meglio se con un po' di enfasi nell'intonazione) dà l'idea che lo studente lo tiri fuori come qualcosa di nuovo, da un suo percorso mentale autonomo che parte dall'idea di precedenti letterari geograficamente contigui, eccetera. Insomma, l'impressione è che lo studente ci stesse comunque arrivando, e che quel concetto fosse il punto d'arrivo predestinato a cui tendeva lo sviluppo del suo pensiero. Questo effetto di riappropriazione è ancora maggiore se lo studente ha l'accortezza di usare anche altri strumenti per presentare la poesia provenzale come un concetto del tutto nuovo. Uno di questi strumenti può essere il designarla dapprima con una definizione più generica, preceduta dall'articolo indeterminativo, quasi che non avesse proprio sentito il professore nominarla:

3. Per la sua prossimità geografica e per l'indubbia maturità culturale e letteraria che aveva raggiunto, un notevole influsso sui poeti siculo-toscani lo ebbe una tradizione d'Oltralpe, e cioè la poesia provenzale...

I motivi per disconoscere l'introduzione di un concetto da parte dell'interlocutore possono essere innumerevoli, anche fuori dai contesti d'esame. Immaginiamo una trattativa fra rappresentanti di due paesi ostili. Il paese A ha violato delle convenzioni e tiene in ostaggio cittadini dell'altro paese. Tuttavia offre di liberare gli ostaggi, perché spera che il paese B ritiri le sue truppe:

4. Abbiamo deciso di liberare gli ostaggi.

Se B tiene agli ostaggi e vuole la pace, di fronte all'offerta di liberazione degli ostaggi potrà rispondere così:

4a. Se liberate gli ostaggi ritireremo le truppe.

Ma se B non tiene agli ostaggi che per facciata, e in realtà spera che si giunga alla guerra, potrà cercare di farlo capire ad A, o comunque di complicare la trattativa fingendo di non aver colto l'offerta:

4b. Ritireremo le truppe se liberate gli ostaggi.

In posizione finale l'informazione contenuta nella subordinata ipotetica è presentata come del tutto nuova, quasi che il rappresentante di A non avesse nemmeno parlato di liberare ostaggi. È una risposta molto adatta anche a far capire che chi parla non crede nella sincerità dell'offerta, quasi a dire: *Ci ritireremo se* veramente *liberate gli ostaggi*.

Per mettere in pratica

Il sistema migliore per essere convincenti è avere le idee chiare e saperle esprimere con chiarezza. Questo richiede almeno le seguenti attenzioni:

- **Riflettere accuratamente su ogni cosa**. Non accontentarsi di avere opinioni vaghe e incomplete, ma cercare sempre di dare ai nostri pensieri una forma ben organizzata.
- **Al momento di esporre un pensiero, richiamarlo rapidamente alla memoria nella sua completezza**, e procedere ad esprimerlo secondo un ordine che ricalchi il modo in cui lo abbiamo organizzato nella nostra testa.

L'esame del linguaggio usato dai persuasori professionisti ci ha mostrato che senza saperlo siamo bersagliati da una grande quantità di messaggi che si servono della lingua in modo tutt'altro che banale per persuaderci, anche nostro malgrado, a scegliere comportamenti voluti da altri. Se ci rendiamo conto di questo possiamo evitare di essere condizionati a nostra insaputa, e al limite possiamo diventare noi stessi capaci di usare con altri le stesse strategie. Infatti è possibile servirsi di precisi strumenti linguistici per rendere più efficace il passaggio di certa informazione. Come abbiamo visto, questi strumenti vanno dai nomi con articolo determinativo alle frasi temporali e relative, ai costrutti comparativi, alle domande con due alternative, al significato riposto di numerosi avverbi, verbi e aggettivi. Tutti questi strumenti sfruttano la seguente, semplice verità: **un buon modo per convincere di una cosa è quello di accennarla appena come ovvia e risaputa**, senza insisterci sopra e anzi fingendo di insistere su qualcos'altro. Se lo si fa nel modo giusto, può capitare che il destinatario del messaggio non si accorga del trucco, e si ritrovi con la convinzione, su cui non ha riflettuto, che quella cosa fa parte dell'insieme delle cose ovvie e risapute. Poco importa, allora, se il suo senso critico reagisce mettendo in dubbio ciò su cui noi abbiamo attirato la sua attenzione. Tanto era un diversivo.

☞ Un individuo sospetto, di nome Pinin Fagnani, ben noto ai carabinieri e alla guardia di finanza come perdigiorno, piccolo delinquente e contrabbandiere, si presentò un giorno alla frontiera fra Italia e Francia con un grosso sacco sul manubrio della bicicletta. Il brigadiere Burbanza lo fece immediatamente accostare e pretese di ispezionare il contenuto del sacco. L'esito fu negativo, perché si poté trovare soltanto della banale ghiaia di fiume. Sulle labbra di Pinin vagava un sorrisetto enigmatico. Pochi giorni dopo, la scena si ripeté. Il sacco era di colore diverso, ma Pinin ancora una volta dichiarò trattarsi solo di ghiaia. Stavolta Burbanza oltre a svuotarlo provvide a lavare la ghiaia e a far passare l'acqua al setaccio, ma non trovò niente di rilevante. Pinin era impassibile, semmai leggermente annoiato. Che avesse messo la testa a posto? Impossibile. Pochi giorni dopo, la stessa storia. Stavolta il sacco era più grosso, e di un materiale più robusto. Pinin aveva l'aria seccata, e lasciava intendere che non era giusto che prendessero di mira sempre la stessa persona. Questa volta però il brigadiere Burbanza prelevò alcuni campioni di ghiaia, che in seguito subirono accurati esami di laboratorio presso il Centro Indagini Scientifiche della Guardia di Finanza, con il seguente risultato: «trattasi di roccia granitica con prevalenza di biossido di silicio, ossidi ferrosi e fillosilicati, in frammenti irregolari. In altre parole, comune ghiaia». Molte altre volte Pinin Fagnani varcò la frontiera coi suoi sacchi di ghiaia sul manubrio della bicicletta, ma Burbanza lo fermò ancora una volta o due, e poi non osò più. Di figuracce ne aveva fatte abbastanza. Eppure era sicuro che Pinin lo stava fregando. Bastava guardare quel sorrisetto di sufficienza che gli errava sulle labbra... A Burbanza questa cosa del Pinin e dei suoi sacchi di ghiaia gli stava come una spina nel fianco. Non ci dormiva la notte. Un giorno si decise, lo incontrò in paese, lo invitò a bere e gli disse:

– Pinin, senti, io lo so che mi stai fregando. Be', non posso portarmi questo assillo fino alla pensione, perciò ti propongo un patto: hai la mia parola d'onore che d'ora in poi non ti darò più nessun fastidio, che potrai trasportare la tua merce senza nessun timore di controlli e che non parlerò mai con nessuno di questa faccenda, ma in cambio mi devi dire la verità: che cosa contrabbandi? –

Sulle labbra di Pinin errava il sorrisetto enigmatico.

– Biciclette, – rispose – contrabbando biciclette. –

7.

Mezzi di propagazione del discorso

Abbiamo detto più volte che conviene adattare il proprio modo di usare la lingua alle situazioni. Situazioni particolari sono anche quelle create da specifici mezzi attraverso cui si propaga un messaggio linguistico. Per esempio, il mezzo telefonico impone regole sue proprie alla comunicazione. Si comincia sempre con *Pronto*; di solito si imposta tutto il dialogo con una certa concisione; dato che l'altro non ci vede, ogni tanto anche se non si ha niente da dire bisogna emettere qualche suono per assicurargli che siamo sempre in ascolto; non si può mai dire *questo qui*, *quello lì* indicando oggetti vicini a noi, ma bisogna descriverli più particolareggiatamente perché l'altro non li può vedere; e così via. Chi parla alla radio o alla televisione deve regolarsi sul fatto che il suo interlocutore non è una singola persona, ma molte, di sessi, età e livelli culturali diversi. Anche il mezzo scritto può essere considerato una particolare situazione dell'uso della lingua, con regole sue proprie.

Lo scritto come situazione

Quando si scrive si usa la stessa lingua di quando si parla, ma fino a un certo punto. In realtà ci sono notevoli differenze. Queste differenze non sono dovute al caso, ma alle caratteristiche materiali e situazionali con cui avvengono la scrittura e la lettura, che sono per alcuni aspetti diverse da quelle con cui avvengono il parlare e l'ascoltare. In particolare, come vedremo, lo scritto differisce dal parlato perché deve fare a meno dell'intonazione; perché un testo scritto può essere letto molte volte e in luoghi e momenti di cui chi scrive sa ben poco; perché chi scrive ha di solito più tempo a disposizione di chi parla, e chi legge ha più tempo di chi ascolta. Accanto a questi fatti dobbiamo aggiungere che lo scritto viene usato soprattutto per scopi abbastanza formali, cosicché la lingua scritta partecipa in misura notevole delle caratteristiche che abbiamo evidenziato a proposito dell'italiano curato nel capitolo 5.

Per almeno due ragioni è importante rendersi conto dei meccanismi con cui le peculiarità situazionali dello scritto influenzano il nostro modo di usare la lingua. La prima ragione è che questo ci permette di adattarci meglio alle esigenze della situazione «scritto»; vale a dire, di scrivere un italiano scritto, e non un italiano parlato.

La seconda ragione è più sottile ma non è meno importante. Abbiamo detto che lo scritto mescola caratteristiche generali dell'italiano formale a caratteri specifici che sono dovuti alla situazione scritta, e che sarebbero fuori luogo anche nel parlato più formale. Conoscere queste ultime peculiarità dello scritto ci permette di riservarne l'uso a quando scriviamo, senza fare l'errore di parlare come se stessimo scrivendo. Infatti molte persone non perfettamente preparate, che entrano in contatto con l'italiano curato quasi esclusivamente nella sua forma scritta, fanno confusione e quando vogliono parlare in maniera formale adottano modi di esprimersi tipici dello scritto, credendo che siano eleganti e tipici dell'italiano di un certo livello, anche parlato. Il risultato naturalmente è goffo e ridicolo.

Nei due paragrafi seguenti ripeteremo rapidamente gli aspetti fondamentali in cui lo scritto, in quanto mezzo caratterizzato di solito da una certa formalità, converge con il parlato formale. Nei successivi esamineremo le caratteristiche peculiari dovute specificamente alla situazione scritta, che non sono condivise dal parlato formale.

Lo scritto come situazione formale: il lessico

Si può benissimo scrivere con un linguaggio familiare, oppure confidenziale, oppure sguaiato. Provateci: prendete un foglio, scriveteci sopra frasi sgrammaticate, oppure un sacco di parolacce, e aspettate qualche ora. Vedrete che non si cancellano da sole. Il fatto è però che, a parte lettere private e usi letterari che vogliono riprodurre situazioni di spontaneità, di solito si scrive soprattutto roba abbastanza formale. Libri, articoli di giornale, lettere commerciali, avvisi pubblici, leggi dello stato e regolamenti condominiali, compiti in classe, eccetera. È per questo, e non per qualche misteriosa legge dello scritto in quanto tale, che di solito quando scriviamo adottiamo un lessico più formale, nel senso di cui abbiamo detto nel capitolo 5 (cfr. Scelta 1).

Istintivamente, siamo portati a dire che delle due frasi che seguono la più adatta ad essere scritta è la seconda:

1. Si è fatto un'altra una canna e poi è andato dai suoi colla metro perché, gli ho detto, col cavolo che va in macchina in quello stato.

2. Ha fumato un ultimo spinello e poi ha preso la metropolitana per recarsi a casa dei suoi genitori, perché gli ho fatto capire che davvero nelle sue condizioni non poteva guidare l'automobile.

Ma è solo perché di solito associamo lo scritto all'idea di situazione formale. Tuttavia è chiaro che in una lettera a un amico potremmo benissimo includere la prima frase, mentre se stessimo raccontando l'accaduto a un giudice oppure al preside della nostra scuola, per quanto a voce, useremmo piuttosto la seconda. Le scelte lessicali non sono tanto un fatto di scritto-parlato, quanto un fatto di formale-informale.

Lo scritto come situazione formale: la grammatica

Avrete notato che la frase (1) e la frase (2) nel paragrafo precedente, oltre che per la scelta delle parole, differiscono anche per la struttura sintattica, che è più «disinvolta» nella prima. Ebbene, per la grammatica possiamo fare lo stesso discorso che abbiamo fatto per il lessico: non esiste una grammatica specifica dello scritto, ma solo la necessità di adottare una sintassi più corretta e formale quando si comunica in situazioni formali. Le caratteristiche grammaticali dell'italiano curato vanno adottate in moltissimi dei casi in cui si scrive, ma non in tutti. Se si scrive una lettera intima si può usare la grammatica che si vuole, anche la stessa che si usa parlando. Se si scrive qualcosa di un po' più «pubblico» o formale, conviene usare la stessa grammatica che si usa quando si parla in un analogo contesto. Dunque niente ripetizioni di pronomi, tutti i congiuntivi ai posti giusti, niente *che* e *gli* polivalenti, e così via.

Comunque bisogna riconoscere che lo scritto, a pari grado di formalità della situazione e di intimità o distanza sociale dall'interlocutore, tende a conservare un grado di formalità leggermente maggiore del parlato. Questo è in parte dovuto ai fattori di cui parleremo nei prossimi paragrafi, e in parte proprio all'abitudine, che tutti condividiamo, di vedere lo scritto associato a contesti formali, sicché le maggiori sgrammaticature stonano sulla pagina più di quanto facciano sulle labbra. Di conseguenza, almeno per certi tratti su cui esiste nell'uso molta oscillazione, si può dire che scrivendo e parlando alla stessa persona può essere normale, e in ogni caso è più sicuro, adottare grammatiche leggermente diverse. Gli esempi (1), (2) e (3) rappresentano nella versione (a) la forma normale nel parlato, e nella versione (b) quella che potrebbe essere normale se rivolgessimo la stessa frase alla stessa persona per scritto. Le scelte prese in esame a titolo di esempio sono appunto quella fra congiuntivo e indicativo, quella fra *che* polivalente e un pronome specifico, quella fra *gli* unificato e un altro pronome personale:

1a. Giovanni si illude che quei soldi gli rendono il 10%.
1b. Giovanni si illude che quei soldi gli rendano il 10%.

2a. Mandami il catalogo che ne abbiamo parlato insieme ieri.
2b. Mandami il catalogo di cui abbiamo parlato insieme ieri.

3a. Ho visto Maria e gli ho detto: che ci fai qui?
3b. Ho visto Maria e le ho detto: che ci fai qui?

Dunque, anche se il parametro fondamentale rimane il grado di formalità della situazione e del vostro rapporto con il destinatario, quando scrivete il vostro motto sia: **nel dubbio, prudenza (cioè: grammatica)**.

Lo scritto come mezzo carente: l'intonazione

Una delle differenze principali fra scritto e parlato è che nello scritto manca l'intonazione. Per certi aspetti la punteggiatura serve proprio a supplire a questa mancanza. Il punto segnala una pausa, e spesso (ma non sempre) la virgola sta per una pausa un po' più breve. Il punto interrogativo avverte che la frase va letta con il tono di voce che sale verso la fine, proprio come in una domanda.

Ma l'interpunzione è quasi impotente a rappresentare il volume della voce o la velocità con cui viene detta una frase. Questo fatto ha delle conseguenze.

Per esempio, influisce sulla possibilità di **ripetere parole o pezzi di parole a breve distanza**. Prendiamo una frase come (1):

1. Sappiamo benissimo che orientarsi nel labirinto della vita è difficilissimo.

L'insegnante che ha corretto il compito da cui proviene questa frase ha saggiamente eliminato (con penna rossa) la ripetizione del suffisso -*issimo*, sostituendo *benissimo* con *molto bene*. E meglio avrebbe fatto lo studente a evitare la ripetizione di quel suffisso così ingombrante, perché suona proprio male. Invece, nel *dire* la stessa frase questo non sarebbe stato necessario, perché mediante la velocità e il tono della voce si sarebbe potuto diminuire o annullare l'effetto di ripetizione.

Per esempio, pronunciando velocemente la prima parte della frase e calcando poi il tono sull'ultima parola:

1a. Sappiamo benissimo che orientarsi nel labirinto della vita è difficil**ìssimo**.

Oppure, calcando il tono apposta su entrambi i superlativi, per dichiarare apertamente la volontà di costruire un parallelismo. Una ripetizione voluta è ben diversa da una involontaria:

1b. Sappiamo **benìssimo**, che orientarsi nel labirinto della vita è **difficilìssimo**.

Potete fare da soli l'esperimento di «annullare» o almeno diminuire con appropriate velocità e diversi toni di voce l'effetto sgradevole che una ripetizione ha in un testo scritto. Provate per esempio a intonare in modi diversi la frase (2):

2. Quest'opera poetica propone i principali princìpi che la poetica di questo autore si propone di seguire.

Se nella prima frase si mette un accento più forte su *poetica* e si «passa veloce» su *propone*, nella seconda frase converrà sorvolare con l'intonazione su *poetica*, ma si potrà mettere un bell'accento su *autore* e su *propone*. Rimediare a *principali princìpi* è un po' più difficile, ma intonando le due parole in modo decisamente diverso si ottiene comunque un miglioramento. Come è ovvio, di solito parlando compiamo questo genere di operazioni in modo del tutto incosciente, e con ottimo successo. Questo fa sì che in certi casi la ripetizione di una parola sia da preferire a qualche rimedio abborracciato. Per esempio, la seconda strofa di una canzone piuttosto conosciuta viene ormai per lo più cantata così:

3. Sul fiume c'è una piroga,
   e dentro questa c'è un negro che voga.

Si tratta di una versione dovuta allo spavento che molti

provano di fronte alla ripetizione di una parola che figura nel testo originale:

3a. Sul fiume c'è una piroga,
nella piroga c'è un negro che voga.

La versione originale (3a) è migliore. In (3) il pronome *questa*, usato non come dimostrativo ma come semplice ripresa di una cosa appena menzionata, suona decisamente goffo. Si sente un eccessivo timore della ripetizione, e viene da pensare a una pedanteria burocratica abbastanza fuori luogo in un testo che cerca di essere poetico. Già *quella* sarebbe meglio, ma il punto è un altro: se si trattasse di un testo destinato alla normale lettura, il pronome disturberebbe meno, e forse la ripetizione disturberebbe di più; invece il testo deve essere recitato, e deve essere bello. L'intonazione può occuparsi di presentare le cose in maniera adatta. In questo caso la ripetizione della parola che evoca una scena suggestiva è preferibile alla zeppa pedante.

Una volta imparato a fare più attenzione alle ripetizioni quando si scrive, bisogna poi stare attenti a non applicare troppo acriticamente la stessa solerzia anche al parlato.

☞ Un'altra cosa a cui serve l'intonazione è **esprimere il collegamento logico fra le parti di un enunciato** (vedi capitolo 5, Scelta 20). Per esempio, esistono almeno due modi di dire la frase (4):

4. Ho fame, mangio.

Se il tono rimane alto e sospensivo su *fame* e cala solo alla fine, il senso è 'ho fame, e perciò mangio', o anche 'ogni volta che ho fame, mangio'. Se invece il tono cala su *fame* come se la frase finisse lì, e poi cala di nuovo alla fine, il senso è 'adesso ho fame, e adesso mangio'. Quando diciamo che il tono cala, non intendiamo che si abbassi il volume della voce, ma proprio il tono in senso tecnico, cioè la frequenza acustica: verso la fine delle frasi dichiarative (cioè non interrogative e non imperative) la voce scende su una nota più bassa di quella iniziale. Potete verificarlo ascoltando con attenzione qualsiasi parlante. Scrivendo non è possibile servirsi del tono della voce per chiarire il tipo di collegamento fra le due parti della frase, e dunque è meglio usare dei connettivi espliciti come *perciò*, *e*, *se... allora* e simili.

Un altro vincolo che pone allo scritto l'assenza dell'intonazione riguarda **l'ordine delle parole**. Quando parliamo, spesso usiamo costrutti «disordinati». Per esempio, (5) è un enunciato naturale nel parlato:

5. La casa l'ha vista, di suo zio.

Naturalmente in corrispondenza di dove abbiamo messo una virgola ci sarà nel parlato una notevole pausa, e la seconda parte dell'enunciato avrà un tono più basso, come un ripensamento, una precisazione, una «coda». (5a) è accettabilissimo nel parlato e abbastanza accettabile nello scritto:

5a. La casa di suo zio l'ha vista.

Nello scritto comunque può essere meglio «riordinare le carte» come in (5b):

5b. Ha visto la casa di suo zio.

Questo dipende da almeno due ragioni. La prima è che nel parlare si può ricorrere all'intonazione per «mettere ordine» fra i pezzi dell'enunciato. Così in (5) la pausa e il cambio di tono avvertono che non occorre cercare un senso per le parole *l'ha vista di suo zio*, perché *l'ha vista* e *di suo zio* appartengono a due parti diverse dell'enunciato. A questo serve appunto in (5) la virgola, ma non sempre in casi del genere la virgola è sufficiente.

La seconda ragione è che quando si scrive di solito si ha più tempo di quando si parla. Ma di questo parleremo più avanti.

Anche con sequenze di parole apparentemente «ordinate» l'assenza di intonazione può giocare qualche scherzetto. Si vedano per esempio queste due frasi, che figuravano su due cartelli esposti nei corridoi di due diverse sedi universitarie:

6. È assolutamente vietato prendere le sedie dall'aula per ragioni di sicurezza del corridoio.

7. Vietato trasportare sedili nel giardino per evitarne il deterioramento.

Parrebbe che sia permesso prendere le sedie dall'aula, se lo si fa per ragioni diverse dalla sicurezza del corridoio. E sembrerebbe anche permesso trasportare sedili in giardino per qualsiasi scopo che non sia (guai a pensarlo!) di evitare il loro deterioramento. Il vero senso dei messaggi si recupera senza ambiguità se la frase secondaria viene anteposta alla principale, meglio se con una virgola:

6a. Per ragioni di sicurezza del corridoio, è assolutamente vietato prendere le sedie dall'aula.

7a. Per evitarne il deterioramento, è vietato trasportare sedili nel giardino.

DIGRESSIONE SULLA PUNTEGGIATURA

La punteggiatura, e in particolare quel piccolo diavoletto che è la virgola, è forse uno degli aspetti della lingua scritta che più tardi e più difficilmente si imparano a padroneggiare. Persone che scrivono bene da tutti gli altri punti di vista soffrono spesso di incertezze su dove mettere la virgola. Questo tradisce il fatto che quando parliamo ci serviamo dell'intonazione in maniera sì corretta, ma del tutto incosciente. Perciò al momento di tradurla in virgole non sappiamo bene come fare. Tanto più che le virgole non hanno solo la funzione di esprimere l'intonazione del parlato, ma anche quella di segnalare certi confini logici fra le parti di un enunciato.

La maggior parte degli esempi che faremo in questo paragrafo provengono da elaborati di studenti liceali, ma problemi analoghi si incontrano in scritti di ogni genere, anche a grande diffusione.

Come abbiamo accennato, in qualche caso la virgola serve a segnalare una pausa o un cambiamento di tono. Per esempio la differenza fra (1) e (2), segnalata nello scritto dalla virgola, nella lettura si traduce nella presenza o assenza di una pausa; e in un diverso significato della frase:

1. Carlo frequenta i compagni di scuola che gli stanno simpatici.

2. Carlo frequenta i compagni di scuola, che gli stanno simpatici.

In (1) solo alcuni compagni stanno simpatici a Carlo, mentre in (2) gli stanno tutti simpatici. In questo caso dunque è doppiamente opportuno che la virgola sia posta a segnalare la pausa. Possiamo dire che oltre a una funzione intonativa, questa virgola ha anche una funzione logica. Distingue cioè fra due frasi logicamente diverse. Lo stesso fenomeno che qui osserviamo per le frasi relative con *che*, si verifica in quelle locative con *dove*: *Io vado sempre sulle spiagge dove si può giocare a palla / Io vado sempre sulle spiagge, dove si può giocare a palla*.

Ci sono però altre pause che si fanno nel parlare, la cui funzione non è di cambiare il senso della frase. L'esempio più tipico è quella pausa che spesso si fa dopo il soggetto o comunque dopo il primo sintagma. Questa pausa nel parlato serve a «presentare» il soggetto (o quel che è), a dare il tempo all'interlocutore di identificarlo e di realizzare che quello è l'argomento di cui si sta parlando. In questo caso si suol dire che il primo sintagma presenta il *tema* dell'enunciato. Per esempio, se incontro un amico per strada, e lui mi chiede notizie dei vecchi compagni di scuola, potrò dirgli tutto d'un fiato:

3. Simone ha avuto un bambino.

Ma potrei anche scegliere di fare una pausa dopo il nome del neo-padre, per avvertire che questi è il tema e che ora dirò qualcosa di lui, e per dare il tempo all'amico di ritrovarlo nella sua memoria. Il senso diventa: 'parlando di Simone, ha avuto un bambino'. Le due barre stanno per una pausa:

4. Simone // ha avuto un bambino.

La stessa frase si potrebbe scrivere così, con la virgola che segnala la pausa:

4a. Simone, ha avuto un bambino.

Chiameremo questo tipo di virgola **Virgola dopo il Tema**, o VT. Si può dire che tale virgola non abbia una funzione logica. Influenza la struttura intonativa della frase e il suo modo di rivolgersi all'interlocutore, ma non il suo significato. Non sempre è opportuno rendere nello scritto mediante una VT questo tipo di pausa. Una ragione è forse che il lettore, se ne ha bisogno, la pausa se la prende da solo. Il testo scritto infatti non fugge via come il discorso parlato. L'esempio (5) proviene da un'intervista pubblicata su un periodico:

5. Lei, ha sottolineato l'importanza della realizzazione di una grande infrastruttura, di un grande canale di scambio qual è l'Alta Velocità.

La VT dopo *Lei* lascia isolato un sintagma molto breve. Inoltre, per quanto possa corrispondere a una pausa nel parlato, non ha alcuna funzione logica e dunque nello scritto non serve. Come non serve la VT nell'esempio (6), proveniente da un compito di italiano di un liceo classico:

6. L'uomo, viene chiamato ad affrontare sempre nuove situazioni.

Anzi, qui la virgola disturba perché incontrandola il lettore crede di dover fare una pausa che invece poi non si rivela affatto essenziale[1].

Un'altra ragione per evitare questo tipo di virgola è infatti

---

[1] Quello di abbondare con inutili VT è probabilmente uno degli inestetismi più frequenti in cui cade chi non scrive più che bene. Spesso lo si trova anche in testi di una certa ufficialità e che hanno subito di certo severi controlli prima di essere stampati a caro prezzo in molti esemplari su supporti di materiale pregiato e durevole. Per esempio, la stazione di un'importante città italiana è attualmente gremita di cartelli che recano la seguente avvertenza, maldestramente virgolata: *I carrelli portavaligie, possono essere utilizzati esclusivamente in ambito stazione.*

la seguente: essa può creare confusione perché viene scambiata per un'altra.

Come (direte voi che già vi eravate insospettiti a sentir parlare della VT), un'altra virgola? Ma quante ce ne sono?

Tante. Per esempio, l'altra virgola di cui sto parlando è di un tipo che va a coppie. Considerate l'esempio (7):

7. L'uomo, dal momento della sua nascita in poi, viene chiamato ad affrontare sempre nuove situazioni.

Qui la funzione della virgola dopo il soggetto è chiara: avvertire che inizia un inciso, un'espressione che ha il valore di una parentesi e che si chiude con una seconda virgola. Chiameremo questo tipo di virgola **Virgola delle Parentesi** o VP. Leggendo (6) la VT può trarre in inganno e dare appunto l'impressione che si tratti di una VP. Solo che poi andando avanti si capisce che non è stata aperta nessuna parentesi, e il lettore è costretto a riconsiderare l'intero enunciato sotto una nuova luce. Questo naturalmente lo disturba.

Spesso la VT e la VP sono in concorrenza, e non è facile scegliere quale usare. Vediamo alcuni esempi.

8. E, a partire dalla storia romana, possiamo vedere come la religione sia sempre servita a comandare gli eserciti.

Così ha scritto uno studente liceale, usando due VP. Si può obbiettare che quella congiunzione isolata lassù a sinistra non ci sta tanto bene, e che forse sarebbe stato meglio evitare del tutto le virgole; oppure metterne una sola come in (9):

9. E, a partire dalla storia romana, possiamo vedere come la religione sia sempre servita a comandare gli eserciti.

In questo caso si sarebbe trattato di una VT posta subito dopo, che presenta il tema del discorso. Una situazione simile si trova in (10), anch'esso opera di un liceale, che potrebbe migliorare diventando (11):

10. E, ovviamente, quando l'entusiasmo si smorza, ci si accorge che (...).

11. E ovviamente, quando l'entusiasmo si smorza, ci si accorge che (...).

Anche in questo caso era possibile non mettere alcuna virgola. Si noti comunque che in (11) non c'è una VT ma c'è una coppia di VP, perché in (10) le espressioni parentetiche erano due, una delle quali rimane tale anche in (11).

Spesso le VP si possono togliere, ma come abbiamo detto non se ne può mettere una sola. In (12) un altro studente ha fatto proprio questo errore:

12. Prima o poi arriva per tutti il momento di diventare adulti e questo secondo me, è uno dei momenti più difficili che un uomo deve affrontare.

La virgola dopo *secondo me* rispecchia una possibile intonazione della frase, ma nello scritto conta il fatto che *secondo me* è un tipico inciso, e dunque vuole due VP (una prima e una dopo); oppure nessuna virgola. L'autore di (12) ha indebitamente soppresso la prima VP della coppia. Invece l'autore di (13) ha soppresso la seconda:

13. Il Petrarca racconta che incominciò tutto un venerdì santo quando, indifeso di fronte all'amore fu colpito dalla vista di Laura.

(Il poeta era indifeso di fronte agli attacchi dell'amore perché tutto rapito dall'occasione sacra.) Le parole *indifeso di fronte all'amore* costituiscono, nell'intenzione dello scrivente, un inciso. Dovevano dunque essere comprese fra due VP e non solo precedute da una di esse.

Se la VT ha solo una funzione intonativa e la VP ha una funzione sia logica che intonativa, esiste poi un tipo di virgola che di solito ha soprattutto funzione logica, con minori conseguenze sull'intonazione. È la **Virgola degli Elenchi**, che chiameremo VE. Quando si elenca oralmente, di solito non è obbligatorio fare pause:

14. Ho comprato patate carote zucchine sedani e lattuga.

Invece nello scrivere italiano c'è l'uso di separare i vari componenti dell'elenco mediante virgole. Questo significa che è buona norma scrivere:

14a. Ho comprato patate, carote, zucchine, sedani e lattuga.

Non significa invece che sia buona la punteggiatura scelta dall'autore di (15):

15. A me sembra che questo sia un ennesimo elemento che il Petrarca usa per giustificarsi della sua debolezza, infatti negli altri sonetti, incolpa, quasi sempre, Laura.

L'esempio (15) non contiene un elenco, eppure così sembrerebbe a chi giudicasse solo dalla frequenza delle virgole. Di queste, solo quella prima di *infatti* è necessaria. Delle rimanenti le ultime due sono tollerabili solo se si interpretano delle VP che facciano di *quasi sempre* un inciso, anche se disturba un po' che *Laura* resti tutta sola laggiù in fondo.

☞ Un altro errore di punteggiatura molto frequente è quello di **non segnalare la giuntura fra due frasi**. Un altro studente ha scritto:

16. Il distacco da figure come Dante e Boccaccio è evidente infatti questi autori erano molto legati alla loro città.

Avrete notato che con *infatti* in (16) inizia una nuova frase. Oltre che sul piano logico, questo ha conseguenze sull'intonazione. Il tono scende alla fine della prima frase e, dopo una pausa, si innalza di nuovo in maniera decisa all'inizio della seconda. È consigliabile inserire un punto o un punto e virgola. O come minimo una virgola, che potremmo chiamare **Virgola delle Frasi** o VF. Una VF starebbe molto bene anche dopo *però* in (17), opera dello stesso studente che a quanto pare non amava la VF:

17. Petrarca soffre di questo amore per l'immagine di Laura però non cerca mai di concretizzarlo.

Qualche volta una VF è troppo poco. Questo avviene per esempio in (18), dove *tutt'altro* deve avere in pieno il vigore di una frase indipendente, che solo un segno di interpunzione più forte può dargli:

18. Non dico che l'infanzia scorra via piatta, senza nessun avvenimento particolare, tutt'altro.

In (18) invece la VF si confonde quasi con una VE, e le parole *tutt'altro* finiscono per annunciarsi come qualcosa di molto diverso da quel che sono: cioè al massimo come un terzo elemento dell'elenco cominciato nella parte di frase che lo precede. Infatti non occorrerebbe cambiare la punteggiatura se al posto di «*tutt'altro*» ci fosse davvero un terzo elemento dell'elenco, come in (19):

19. Non dico che l'infanzia scorra via piatta, senza nessun avvenimento particolare, senza scossoni.

Anche in (20) (peraltro mal scritto da vari punti di vista) una VF è forse troppo poco. Il senso del discorso rimane chiaro, ma chi legge può avere la sensazione che non gli sia concessa una separazione adeguata fra due frasi che sono decisamente indipendenti:

20. Nel *Canzoniere* Laura non è rappresentata come la donna-angelo degli stilnovisti, per il Petrarca la figura femminile non riavvicina a Dio anzi lo allontana essendo l'identificazione dei piaceri terreni.

Dopo «*stilnovisti*» in (20) ci sta bene un punto. La semplice VF sarebbe stata forse più adatta a separare una frase dipendente, come in (21):

21. Nel *Canzoniere* Laura non è rappresentata come la donna-angelo degli stilnovisti, perché Petrarca è uomo prima di tutto passionale.

Una semplice virgola fra due frasi indipendenti può andare bene se queste fanno parte di un elenco di frasi. Avremo allora una VE e non una VF. Si tratta comunque di un'eventualità rara perché l'effetto è pesante, specialmente con frasi lunghe, come si può osservare in (22):

22. Ecco alcuni fatti che differenziano il poeta dai suoi predecessori e in particolare da Dante: nel *Canzoniere* Laura non è rappresentata come la donna-angelo degli stilnovisti, per il Petrarca la figura femminile non riavvicina a Dio anzi lo allontana essendo l'identificazione dei piaceri terreni, e infine in Petrarca la malinconia è sentimento assai più dominante che nell'autore della Divina Commedia.

Lo studente che ha scritto (20) (poco sopra) aveva decisamente il vizio di una punteggiatura troppo «leggera». Abbiamo visto che dove ha messo una VF poteva essere meglio mettere un punto; e possiamo aggiungere che, sempre in (20), avrebbe fatto meglio a segnalare l'inizio dell'ultima frase con una VF prima di «*anzi lo allontana...*».

In punteggiatura alcune cose sono questione di gusti. Dunque è vero che si gode di una certa libertà; ma non se ne può abusare se si vuole che i nostri lettori capiscano e al tempo stesso non siano seccati da pause continue. Una buona norma di comportamento potrebbe essere quella di **mettere tutte e solo le virgole che servono**. Per capire quali siano le virgole utili occorrono soprattutto due cose: primo, avere ben chiara la distinzione fra la funzione intonativa e quella logica della virgola; secondo, saper riconoscere la virgola del tema (VT), quella degli elenchi (VE), quella delle parentesi (VP) e quella delle frasi (VF). Allora diventa facile rendersi conto che certe virgole sono di troppo. Per esempio, provate ad esaminare (23) e (24). In entrambi i casi c'è una virgola che disturba. Si tratta naturalmente di una virgola che non è possibile classificare come VT, né come VE, né come VP e nemmeno come VF:

23. Il poeta ricorda i posti dove ha visto la sua donna, e confronta il presente tormentato, con il passato ricco di immagini di Laura e

con il futuro, nel quale immagina di poter vedere la donna amata piangere per lui.

24. Nel dialogo con sant'Agostino, che il Petrarca considera un maestro di vita, è messa in particolare rilievo, quella forza di volontà che il poeta non riesce o non vuole trovare.

In (23) la prima e la terza virgola sono delle VF, ma la seconda è semplicemente di troppo. In (24) le prime due virgole sono una coppia di VP, ma la terza è inutile. Si noti che della prima VF in (23) si potrebbe anche fare a meno. In generale, la VF è tanto più necessaria quanto più sono lunghe le frasi che separa. Questo perché più una frase è lunga, più il lettore sente il bisogno di uno stacco logico (per capirla e prepararsi alla frase successiva) e, se legge ad alta voce, di una pausa (per prendere il fiato).

Lo scritto come mezzo spiazzato: la contestualizzazione

Se ci troviamo faccia a faccia con il nostro interlocutore possiamo dirgli: *vorrei quello lì*, e dal nostro sguardo o dal nostro gesto lui capirà di che si tratta; scrivendo invece bisogna dare ad ogni cosa il suo nome perché non sempre sappiamo da chi, dove e quando il testo verrà letto. Esiste infatti, nella maggior parte dei casi, uno **spiazzamento** spazio-temporale fra il momento della produzione e i momenti della fruizione di un testo scritto. Anziché *vorrei quello lì* scriveremo allora: *Cerco mulinello da pesca per spinning in torrente marca Mitchell, rapporto di recupero 5:1, capienza bobina 100 m di filo diametro 0,22 mm, cromato, non anteriore al 1993.*

Quello dei pronomi dimostrativi è forse il caso più emblematico, ma in realtà le parti del discorso che fanno riferimento al contesto per essere capite sono veramente molte. Vediamo rapidamente quali.

• **Pronomi e aggettivi dimostrativi**: il senso di espressioni come *questo* e *quello* cambia a seconda di chi le dice e di dove si trova. Se sono a Roma all'inizio di viale Aventino e dico *questo arco* intendo certamente quello di Tito; ma se sono a Parigi in avenue des Champs Elysées, si tratterà dell'Arc de l'Etoile.

● **I pronomi personali**: *io*, *tu*, *egli*, *loro* designano persone diverse a seconda di chi parla e di chi sono coloro a cui si rivolge o a cui si riferisce.

● **Gli avverbi di luogo e di tempo**: per sapere a che momento o a che luogo si riferiscono parole come *oggi*, *domani*, *fra poco*, *presto*, *adesso*, *qui*, *lì*, *laggiù*, devo avere precise informazioni sul luogo e sul momento in cui viene prodotto l'enunciato.

● **Le persone e i tempi del verbo**: le parole *andremo*, *mangiaste* ricevono nella mia mente un soggetto e una collocazione temporale solo se so chi parla e rispetto a che momento vale il futuro o il passato.

● **Alcune espressioni con valore modale**: *bisogna fare così* è un messaggio comprensibile soltanto se si sa cosa sta facendo chi parla.

A parte il caso di qualche lettera privata, una persona che scrive non sa quante volte verrà letta, quando, dove e da chi. Dunque non può affidarsi al contesto in cui si trova per chiarire ciò che dice. Se sto crollando sotto il peso di un enorme vaso Ming e ho davanti a me i miei interlocutori, posso guardarne uno in faccia e dirgli:

per piacere levati di lì, perché devo metterci questo,

e lui capirà. Capirà perché *contestualizzerà* (cioè doterà di senso mediante il contesto) la seconda persona del verbo (*tu* = la persona a cui il parlante si rivolge, quindi lui stesso), l'avverbio di luogo (*lì* = il luogo dove lui si trova in quel momento) e il pronome dimostrativo (*questo* = ciò che il parlante ha in mano, quindi il vaso Ming). Ma se scrivo la stessa frase su un cartello, o peggio ancora su un libro o su un giornale, qualsiasi cosa io abbia in mente il messaggio risulterà incomprensibile e inoperoso.

Queste considerazioni ci insegnano che quando si scrive bisogna fare molta attenzione a provvedere le informazioni sul dove e sul quando, se poi si ha intenzione di usare parole che vi si riferiscono. Per esempio, all'inizio di una lettera si può mettere la data e il luogo. Ma questo non basta, perché chi riceve la lettera può non sapere che oggetti ci circondano mentre scriviamo. Allora, anziché *questa stanza* faremo meglio a scrivere *la mia stanza da letto*, e al posto di *questi libri* dovremo dire *i libri sullo scaffale accanto a me*, eventualmente, se necessario, specificando che si tratta di alcune tragedie di William Shakespeare, del *Più grande uomo scimmia del Pleistocene* di Roy Lewis, del volume di racconti *Ficciones* di Jorge Luis Borges e della collezione completa di *Cattivik*.

☞ La mancanza di un unico contesto della comunicazione determina un'altra parziale differenza fra scritto e parlato, di natura molto simile a quella descritta poco fa. Si tratta dell'uso degli articoli determinativo e indeterminativo. Di solito mettiamo l'articolo determinativo (*il, la, i, le*) davanti ai nomi che designano qualcosa di facilmente identificabile. Per esempio, se siamo in una stanza dove c'è una sola sedia possiamo dire *ho sbattuto un ginocchio contro la sedia* e tutti capiscono quale intendiamo. Ma se siamo sulla spiaggia e non è presente nessuna sedia, dobbiamo dire *ho sbattuto un ginocchio contro una sedia*, perché *la sedia* non significa niente. Oppure, dobbiamo dire *la sedia della mia scrivania*. Nello scritto avviene lo stesso che avviene sulla spiaggia. La sedia che noi abbiamo in mente non sarà presente nel luogo dove qualcuno leggerà ciò che noi abbiamo scritto, dunque dobbiamo scrivere: *ho male a un ginocchio perché l'ho sbattuto contro una sedia*. Ma una cosa interessante è la seguente: dopo averla menzionata una volta come *una sedia*, anche nello scritto quella sedia ormai è nota e identificabile per il nostro lettore; è la sedia contro cui abbiamo sbattuto, e da quel momento possiamo, anzi dobbiamo, chiamarla *la sedia*, con l'articolo determinativo. Per esempio, possiamo continuare dicendo: *la lesione è grave perché la sedia era di ferro massiccio, e rugginosa*. Il fatto di averla nominata fa sì che quella sedia sia «presente», se non fisicamente, almeno in quello che potremmo chiamare «l'universo del discorso». Sarebbe assolutamente sbagliato ripetere l'articolo indeterminativo: *la lesione è grave perché una sedia era di ferro massiccio, e rugginosa.*

Lo scritto come mezzo paziente: l'accuratezza

Quando si parla, normalmente non è concepibile che ci si interrompa a metà per più di qualche secondo, a meno che sia per lasciar parlare qualcun altro. Quando si scrive, di solito si ha molto più tempo. È possibile fermarsi a metà di una frase, ripensarla, proseguirla in modo diverso da come si pensava all'inizio, ma anche correggerla, modificarla in tutto o in parte, cancellarla e sostituirla con un'altra. Questo fa sì che la lingua scritta ammetta meno «disordine» della lingua parlata. Cerchiamo di capire perché.

Quando si va a mangiare in un fast food non ci si scandalizza se la qualità del cibo è bassa, se i vassoi sono modesti e contengono solo una tovaglietta di carta, se i piatti sono di polistirolo, se non c'è servizio ai tavoli e così via. Ma qualora le stesse cose accadessero in un ristorante dove si spende quattro volte tanto e si deve aspettare mezz'ora per il primo boccone, avremmo qualcosa da ridire. C'è l'uso di pretendere che ogni ristorante fornisca il meglio compatibilmente con le risorse di tempo e di denaro che ha a disposizione. Ebbene, nel comunicare c'è un uso simile. Parlando si ha pochissimo tempo per programmare il discorso, e non esiste un modo per risparmiare all'interlocutore i nostri errori e i cambi di programmazione che avvengono a metà della frase. Dunque è normale correggersi, ripetere qualche parola per prendere tempo, oppure ricordarsi solo alla fine della frase di aggiungere certa informazione che sarebbe stata meglio all'inizio. In questo capitolo abbiamo già visto un esempio di questo fatto l'enunciato (5) del paragrafo sulla carenza di intonazione. Un altro lo possiamo vedere in (1), che per un evidente ripensamento aggiunge l'informazione sul colore della cartella alla fine, anziché subito dopo aver nominato la cartella stessa. Chi ascolta perdona, e anzi si aspetta proprio questo andamento un po' disordinato:

1. La cartella i compagni me l'hanno tutta sporcata, quella rossa.

Quando si scrive, invece, si ha tempo per programmare il discorso e per mettere tutte le parti in ordine. Le correzioni avvengono in privato, e al lettore può arrivare un testo già «ordinato» e senza ripetizioni. In una civiltà che scrive e legge molto, è ormai consolidata l'aspettativa che ogni testo scritto rispetti queste caratteristiche. Proprio come un ristorante coi fiocchi. E l'aspettativa generale diventa regola.

☞ Oltre all'**ordine degli elementi della frase**, la maggiore aspettativa di qualità che si esercita sui testi scritti influisce almeno ad altri due livelli. In un testo scritto, assai più che in uno parlato, sono imperdonabili **imprecisioni e sciatterie**; e rispetto a un testo parlato generalmente un testo scritto ha l'obbligo di essere **più coerente e meglio organizzato**.

Una maggiore accuratezza quando si scrive è richiesta non solo dal fatto che abbiamo più tempo noi per produrre il testo, ma anche dal fatto che rispetto a un ascoltatore, il lettore ha più tempo per accorgersi di eventuali difetti. Mentre la voce sparisce immediatamente, la parola scritta rimane sotto gli occhi del lettore a lungo. Questi può tornare a leggerla più volte, e se qualcosa di strano lo colpisce può soffermarsi a controllare.

Facciamo qualche esempio. Nel capitolo 1 abbiamo visto come alcune parole difficili tendano ad essere pronunciate in modo approssimativo. Non è certo grave se diciamo, come fanno i più, *areoplano* o *metereologia* anziché *aeroplano* e *meteorologia*. Probabilmente nessuno se ne accorgerà. Ma se le scriviamo nel modo sbagliato queste parole fanno un brutto effetto, perché la scorrettezza è più evidente. Lo stesso vale anche di moltissime parole che non pongono problemi di ortografia perché sono più facili. Tre frasi sopra ho scritto la parola *probabil-*

mente. Se ci fate caso, scoprirete che nel parlare è molto raro che questa parola venga pronunciata per intero. (Questo non vale nelle regioni dell'Italia centromeridionale dove la *b* fra vocali tende a raddoppiarsi.) Più spesso si dice *proabilmente*, o addirittura *prailmente*. Nessuno ci fa caso. Tutti però sono d'accordo che quando si scrive è meglio mantenere integra la grafia. Dicendo parole come *Emilio, ausilio, Sicilia* molti pronunciano qualcosa di simile a *emiglio, ausiglio, siciglia*. Non è un gran male, ma lo sarebbe se queste pronunce venissero trasferite nello scritto. Pronunce come *sottoliniare/sottoliniatura* o *impermiabile* sono piuttosto brutte, ma se non sono molto marcate, si notano appena. Viceversa quando errori del genere vengono scritti, non possono passare inosservati.

Parlando concitatamente può capitare di usare espressioni sovrabbondanti, come *ma però* o *quindi allora*. Non è grave, e talvolta queste coppie di quasi sinonimi hanno davvero la funzione di esprimere l'intensità con cui chi parla percepisce la relazione di contrasto o di conseguenza fra le parti del suo discorso. Un'intonazione particolare aiuta a non farle sembrare goffe. Ma nello scritto, senza intonazione e fuori della particolare atmosfera di una discussione o di un'accalorata perorazione, si presentano molto peggio. La ripetizione è più evidente, ed è meglio evitarla.

Verba volant, scripta manent: le cose dette volano via, le cose scritte restano lì. Riservate loro diversi trattamenti.

☞ Abbiamo detto che da un testo scritto ci si aspetta che nel suo insieme sia meglio organizzato di un discorso orale. Anche questo dipende dal maggiore tempo a disposizione di chi lo produce, e infatti un'aspettativa del genere riguarda in misura quasi uguale i discorsi orali che vengono preceduti da una preparazione, come le conferenze, le lezioni, i comizi (benché purtroppo l'aspettativa non venga sempre soddisfatta). Questa non è la sede per insegnare nei particolari a produrre testi scritti ben organizzati, ciò che conta è però rendersi conto che anche per quanto riguarda l'organizzazione dell'intero testo, quando scriviamo non possiamo aspettarci dai nostri destinatari la stessa indulgenza che è usuale rispetto al parlato. Durante una conversazione spontanea, se ci accorgiamo di non avere ancora detto una cosa che bisognava dire prima, non c'è niente di male ad avvertire: *scusami, mi ero dimenticato di dire che...* Ma in un testo scritto, presentare alla fine qualcosa che nell'ordine logico del discorso andava all'inizio è segno di incapacità, oppure di pigrizia. Significa che non si è padroni del testo e dunque non si è capaci, oppure non si è avuto voglia, di spostare quell'idea al suo vero posto; e che si è preferito che tale sforzo restasse a carico del lettore. Insomma, a ben guardare, diffondere un testo scritto mal organizzato è una forma di maleducazione.

Piccoli problemi di corrispondenza fra pronuncia e grafia

L'ortografia dell'italiano è piuttosto semplice, e possiamo ben dire di essere più fortunati, da questo punto di vista, dei francesi e, ancor più, degli inglesi. I principali problemi dovuti a qualche ambiguità nel rapporto fra scrittura e pronuncia vengono affrontati alle squole elementari (sì, avete visto giusto, ho usato una *q* al posto di una *c*, a ciò indotto dal fatto che, siccome i due segni hanno davanti a *u* esattamente la stessa pronuncia, dal suono della parola «*skuola*» non è possibile dedurne con certezza la grafia). Affrontati, sì, anche se non sempre risolti. Non è questa la sede per segnalare gli innumerevoli e pirotecnici errori di ortografia che si possono fare e si fanno ogni giorno. A correggerli, armati di matite e penne rossoblu, ci sono già gli insegnanti delle scuole elementari, medie inferiori e superiori, e purtroppo anche dell'università.

Esistono però alcuni errori che ormai tutti sembrano essersi dimenticati di correggere. Un vero scempio nella pratica scrittoria attuale, anche a stampa e purtroppo anche in sedi che dovrebbero essere qualificate, riguarda le parole tronche che terminano in *-e*. Date le proporzioni del fenomeno, potremmo dire che si tratta di un caso di **ortografia dimenticata**. Se non corriamo ai ripari, rischiamo che il proliferare dell'errore finisca per imporsi. La -e finale accentata in italiano può essere aperta come in è o in cioè; oppure chiusa come in perché, né, nonché (per comprendere queste osservazioni, facciano provvisoriamente finta di non essere settentrionali coloro che pronuncerebbero una e aperta anche in fondo a perché, né giacché e nonché). Se siete osservatori, avrete notato che questo comporta una piccola differenza ortografica. O meglio comporterebbe. Purtroppo quasi tutte le tastiere di macchine da scrivere e di computer del nostro Paese hanno i segni é ed è sullo stesso tasto. Per produrre il segno é bisogna premere contemporaneamente anche il tasto delle maiuscole, e questo, è il caso di dirlo, ha segnato la sua sorte di segno. Quasi tutti gli preferiscono il più pigro è, e dunque su giornali, manifesti e confezioni di alimenti imperano dei perchè, dei nè, dei nonchè e dei giacchè dai quali si direbbe che a scrivere in Italia siano solo quelli che vivono nei bacini del Po, dell'Adige, del Piave, del Brenta e del Tagliamento. Se ancora vi riesce, remate contro corrente.

Alcune questioni di **ortografia marginale** pongono qualche problema anche alle persone decisamente preparate. Per esempio, come bisogna scrivere il verbo avere preceduto dall'elemento ci, di cui abbiamo parlato a proposito dei gradi di formalità? C'ho un dolore qui, c'hai un bel cappello, oppure Ci ho un dolore qui, ci hai un bel cappello? Il problema nasce dal fatto che la grafia ci ho, ci hai è poco soddisfacente perché suggerisce di pronunciare una i che invece non si pronuncia affatto. D'altra parte la grafia con l'apostrofo è senz'altro inaccettabile perché se non si scrive la i non rimane nessuna indicazione del fatto che la c va pronunciata come in cena e in cibo, e non come in cane, in cono e in cubo. Insomma, meglio ci ho (pronuncia: ciò), che c'ho (pronuncia: cò). Ma senza entusiasmo. Se avete idee migliori, sono benvenute.

☞ Sicuramente vi è capitato, fra i traumi dell'infanzia, di vedervi correggere un apostrofo lasciato come ultimo segno alla fine di una riga (o di un rigo, come si direbbe da Firenze in giù). Ma presto vi siete adeguati e adesso, con diligenza e maestria, scrivete:

<blockquote>
lo
uomo è un animale sociale;

quello
albero è un sicomoro;

alla
alba del quattro di luglio.
</blockquote>

Come bisogna leggere questi obbrobri? Certo non *lo uomo* o *quello albero*. E allora, perché scrivere così? Si tratta di una pratica primitiva di cui non avete colpa perché vi è stata inculcata in tenera età; ma adesso potete abbandonarla. Probabilmente gli animi più sensibili già ne avvertivano l'insensatezza, e rimediavano in modo strisciante, andando sempre a capo prima dell'articolo o della preposizione articolata:

<blockquote>
dicono che
l'uomo è un animale sociale;

secondo me
quell'albero è un sicomoro;

ci muoveremo
all'alba del quattro di luglio.
</blockquote>

Ma non esiste una buona ragione per cui non si possa scrivere:

<blockquote>
dicono che l'
uomo è un animale sociale;

secondo me quell'
albero è un sicomoro;

ci muoveremo all'
alba del quattro di luglio.
</blockquote>

Dunque, **sentitevi liberi di andare a capo dopo l'apostrofo**[2].

Per mettere in pratica

In questo capitolo ci siamo occupati dell'italiano scritto soprattutto con lo scopo di caratterizzarlo nelle sue differenze rispetto al parlato. Nella stessa collana del presente volume esiste un libro (*Scrivere l'italiano*, di S. Fornasiero e S. Tamiozzo Goldmann) che si occupa specificamente dell'italiano scritto, e che vi consigliamo di leggere.

Come abbiamo visto, lo scritto differisce dal parlato per certe sue caratteristiche specifiche, che rendono necessarie a chi scrive le seguenti attenzioni:

• **Non dimenticare che chi legge non può udire l'intonazione che noi dentro la nostra testa diamo alle frasi che scriviamo**. Disporre gli elementi della frase e la punteggiatura in modo che sia possibile leggere e capire ogni enunciato attribuendogli l'intonazione più semplice e naturale.

• **Non dimenticare che il testo scritto verrà letto in contesti lontani da noi**. Dotarlo se possibile delle coordinate spazio-temporali che servono per capirlo, ed evitare l'uso di espressioni il cui senso potrebbe non essere chiaro al lettore che non conosce il contesto in cui scriviamo.

• **Non dimenticare che chi legge ha il testo sotto gli occhi nero su bianco**, e ha tutto il tempo di soffermarsi su impreci-

---

[2] Pare che l'odio per l'apostrofo in fin di riga sia stato contrabbandato nell'ortografia scolastica dai tipografi, per la seguente ragione: quando la pagina veniva composta con caratteri mobili di piombo montati ciascuno su un piccolo parallelepipedo di legno, ogni riga era tenuta insieme da un giro di corda. Il carattere dell'apostrofo era molto piccolo, e quando si trovava al margine della riga tendeva a sfuggire, creando problemi pratici. Oggi, abbandonati i caratteri mobili per la linotype, e spesso anche questa per la fotocomposizione, sembrerebbero non esistere più impedimenti; eppure l'ortografia è un mondo così conservatore che perfino gli attuali programmi di scrittura su computer, che dividono automaticamente le parole in fine di riga, evitano di andare a capo dopo l'apostrofo.

sioni, sciatterie e brutture varie. Risparmiargli questo divertimento alle nostre spalle.

• **Non dimenticare che chi legge si aspetta che abbiamo usato il tempo a nostra disposizione per organizzare il testo al meglio**. Non lasciare al lettore il compito di rimediare al nostro disordine mentale. Rimuovere ogni incoerenza e disordine dal testo prima di diffonderlo.

Per il resto lo scritto somiglia abbastanza al parlato, e può condividere il lessico e la grammatica di ogni registro dell'italiano, dal più alto al più basso. Però non bisogna dimenticare che esiste una sorta di prevalente specializzazione del mezzo scritto per la diffusione di messaggi che hanno un certo grado di formalità. Questo impone la seguente attenzione:

• **Riflettere sul grado di formalità che ha il rapporto fra persone in cui attiviamo una comunicazione scritta**. Se si tratta di un rapporto pubblico, adottare un lessico e una grammatica corretti, appartenenti a un registro «presentabile» in pubblico. Se si tratta di una comunicazione privata, concedere comunque allo scritto il beneficio di un tocco di formalità in più; in ogni caso, non scendere al di sotto del registro che si adotterebbe nel parlato. Tenersi un po' al di sopra non guasta.

Conclusione:
dosare gli ingredienti

Questo libro propone non una sola, ma molte abilità. Un collage di abilità che, se fatte operare insieme, compongono l'arte di usare bene la lingua. La vita stessa è un complesso collage di situazioni in cui si intrecciano dimensioni sempre diverse. Il linguaggio, che accompagna la vita in quasi tutte queste dimensioni, è a sua volta quanto alla sua struttura un collage di elementi diversi; e quanto alla sua realtà sociale, un collage di registri diversi. La miriade di piccole attenzioni che concorrono a formare un buon uso della lingua può essere sintetizzata, a mo' di conclusione, in quattro punti fondamentali: **conoscere gli strumenti**, **sapere ciò che si vuole**, **sapersi adattare**, **essere indipendenti**.

Conoscere gli strumenti della lingua

La lingua italiana, come ogni lingua dell'uomo, è un sistema composto di moltissime parti. La potremmo paragonare a uno straordinario meccano, enormemente più complesso e raffinato; oppure a un immenso software applicativo. Di questo superstrumento conviene **saper usare bene ogni parte**. Conviene conoscerlo nelle sue pieghe più riposte, fino alle viti più rare e più piccole, fino alle rondelle più leggere (ma non per questo meno indispensabili); fino alle funzioni più incassate nell'ultima finestra dell'ultimo menu, e fino alle impostazioni più sperdute nell'appendice del manuale. Infatti la vita è così varia, così piena, così vera, così poco addomesticata e preimpostata, che ogni giorno possiamo trovarci di fronte alle situazioni e alle necessità più varie; e in ogni situazione probabilmente dovremo parlare, e se staremo zitti dovremo ascoltare, e se nessuno parlerà quanto meno dovremo pensare, e per pensare ci servirà la nostra lingua madre.

Meglio maneggiamo la lingua meglio parleremo, meglio ascolteremo, meglio penseremo.

Nei capitoli 1, 2, 3 e 4 abbiamo esaminato i principali ambiti in cui anche chi parla abbastanza bene l'italiano può rischiare di incontrare i suoi limiti. Gli aspetti più ingannevoli dell'italiano, le parole straniere, i linguaggi specifici delle discipline difficili, richiedono un'attenzione speciale. La lettura di questo libro può essere servita ad acuire in voi la sensibilità per questo genere di problemi, ma è solo un inizio. Ciò che vi serve è diventare esperti della vostra lingua, e non si diventa esperti di qualcosa da un giorno all'altro, neanche in virtù della più luminosa delle ispirazioni. Si diventa esperti solo con... l'esperienza.

In fatto di lingua, l'esperienza è a portata di mano. Ma l'esperienza inganna, perché i modelli intorno a noi sono sovente di pessima qualità. Dunque bisogna selezionare. L'esperienza di buona qualità giace anzitutto nella letteratura italiana, che per nostra fortuna è anche una delle più importanti e più piacevoli del mondo. Leggete buoni libri, e non sarà invano. Poi ci sono persone che parlano bene. Selezionare significa anche fare attenzione a come la gente parla. Ascoltare ciò che dice, ma anche come lo dice. Riconoscere chi parla bene da chi parla male. Riconoscere una cosa detta bene da una detta male. Osservare anche noi stessi mentre parliamo, accorgerci delle nostre cattive abitudini e sostituirle con delle buone. All'inizio ogni progresso è frutto di un impegno, ma poi il processo accelera. Meglio si domina la lingua e più diventa veloce il miglioramento. E meno sforzo costa. Dopo un po', aggiungere armi al vostro arsenale linguistico sarà solo un piacere.

Sapere ciò che si vuole

Se si conosce in maniera perfetta lo strumento lingua, non è ancora detto che lo si usi nel migliore dei modi. Chi sa tutto del meccano o del software di cui si serve, ne ottiene risultati di qualità solo a una condizione: che si prefigga **scopi di qualità**. Gli scopi a cui serve la lingua sono variegatissimi. Informare, minacciare, affascinare, ingannare, intimare, promettere, convincere, chiedere, lasciar intendere, offendere, lusingare, invogliare, contraddire, confortare, avvisare, insospettire, rassicurare, suggerire, consigliare, ordinare, addormentare, risvegliare, spaventare, divertire, e mille altre azioni che possono combinarsi in innumerevoli maniere diverse. **A seconda di ciò che vogliamo fare, il modo di parlare deve essere diverso**. Dunque, per parlare bene, bisogna rendersi conto che il nostro parlare avrà comunque un effetto, e sapere bene che effetto vogliamo. Se non sappiamo cosa vogliamo, se «ci lasciamo parlare», se parliamo a caso, l'effetto sarà fuori del nostro controllo. Chi dorme non piglia pesci. Ma se abbiamo in mente un effetto e parliamo di conseguenza, probabilmente otterremo l'effetto voluto. Chi semina raccoglie.

Sapersi adattare

Ciascuna delle azioni che compiamo con la lingua può essere caratterizzata in mille modi, con diverse sfumature che vanno dall'intimità al rispetto, dalla decisione alla delicatezza, dalla raffinatezza alla volgarità, dall'autorevolezza all'umiltà, dalla spiritosaggine alla serietà, dalla *nonchalance* alla concentrazione, dall'ostilità all'amore, e così via. Siamo liberi di scegliere che cocktail di atteggiamenti far confluire in ogni frase che diciamo. Come un cuoco che compone una ricetta, possiamo decidere in che proporzioni devono unirsi i vari sapori. Come un pittore che prepara un colore, siamo noi a decidere quali colori di base devono prevalere, e quali devono dare solo un piccolo tocco che vivacizza, oppure che smorza, oppure che addolcisce, e così via. Se non ci rendiamo conto di questo, e se non decidiamo come comporre il nostro linguaggio, cosa accade? Accade che naturalmente parliamo lo stesso, e che lo facciamo con un tono qualsiasi. Secondo una «ricetta» casuale, probabilmente banale. Quasi di sicuro, senza saperlo riproduciamo (semplificandolo) il modo di parlare delle persone che hanno maggiore influsso su di noi. Dunque, finiamo per parlare come i nostri genitori, oppure come il capufficio, oppure come questo o quel presentatore tv. Non siamo noi a fare le scelte, e probabilmente il risultato è che il nostro modo di esprimerci risulterà povero e poco capace di adattarsi alle diverse necessità.

Già, perché chi sceglie autonomamente come parlare sa che le sue scelte sono in parte mirate a esprimere con precisione i contenuti e le sfumature che ha in mente, e in parte a fronteggiare al meglio due fattori esterni: **le situazioni** e **gli interlocutori**.

Come abbiamo visto nel capitolo 5, lo stesso effetto di adeguatezza, o di simpatia, o di correttezza, o di autorevolezza e serietà, non si ottiene con il medesimo linguaggio in qualsiasi situazione e con qualsiasi persona. Ci sono situazioni e interlocutori che richiedono un registro, e altri che ne richiedono un altro. Gli scopi espressivi che ci prefiggiamo interagiscono con la situazione e con l'interlocutore, determinando la sintesi finale che decidiamo di usare. La ricetta giusta per quel piatto, il colore giusto per quel quadro. In una situazione formale bisogna adottare un italiano corretto, ma se il nostro scopo è divertire potremmo aver bisogno di espressioni disinvolte, oppure di un po' di dialetto. In famiglia è normale parlare con disinvoltura, ma se stiamo spiegando al fratello piccolo un teorema di geometria non potremo rinunciare al lessico tecnico. Al nostro amore parliamo con spontaneità, ma in un momento particolare potrebbe non guastare un po' di poesia. Al professore si parla con accuratezza, ma specialmente all'esame bisogna riuscire a esprimersi senza perdite di tempo. A un vecchio amico parliamo in maniera sbrigativa perché ci capisce al volo, ma quando gli scriviamo una lettera da un luogo lontano dobbiamo chiarire qualche passaggio logico in più, e forse non è male risparmiargli le peggiori sgrammaticature.

La cosa migliore è tenere sempre tutti gli ingredienti e tutti i colori a portata di mano, ed essere ben coscienti dell'effetto che ciascuno produce nell'insieme e, in particolare, coltivare queste abitudini:

● Riflettere sulle situazioni e sulle persone con cui abbiamo a che fare.

● Fare mente locale al linguaggio che adottano loro.

● Non limitarsi a imitare, ma mediare fra ciò che ci si aspetta da noi e ciò che ci suggeriscono i nostri desideri e la nostra creatività.

● Essere adatti all'ambiente, ma non un mero prodotto di esso.

● Adattarci, ma solo quanto basta per non incontrare troppi ostacoli nell'essere noi stessi.

Essere indipendenti

Un aspetto a parte dell'interazione linguistica con la realtà e con gli altri è quello della persuasione. Nel capitolo 6 abbiamo visto che ognuno di noi è preda potenziale di un esercito di persuasori, che per lo più vogliono indurlo a comprare qualcosa. Forse lo smascheramento delle loro strategie linguistiche non è altro che un'occasione per risvegliare in noi la coscienza di questa «pressione» a cui siamo sottoposti; un modo di accorgerci che appena ci distraiamo un momento, possiamo essere vittima di qualche persuasione strisciante. Questo stato di veglia è fondamentale per renderci meno dipendenti da ogni genere di condizionamento.

D'altra parte, possiamo sfruttare la lunga esperienza e il grande impegno di questi persuasori per imparare da loro qualcosa. Qualche volta anche noi abbiamo bisogno di essere convincenti, e non guasta avere un'idea dei tanti modi che la lingua ci mette a disposizione se vogliamo presentare qualcosa sotto una luce favorevole. Ma certo il modo migliore per esse-

re convincenti rimane quello di avere davvero ragione. Organizzare bene le proprie idee, arrivare ad avere un'opinione
seria e ben motivata. A quel punto, basta esporla con ordine e
chiarezza.

Edoardo Lombardi Vallauri
Dipartimento di Linguistica
Università di Roma Tre
via del Castro Pretorio 20
00185 Roma (Italia)

Finito di stampare nell'ottobre 2000
dalla litosei via bellini, 22/4, rastignano, bologna

Il nuovo esame di maturità, di Tullio De Mauro e Paolo Legrenzi

Che cosa farò da grande. Imparare a scegliere il proprio futuro, a cura di Luciano Arcuri

La scelta della facoltà universitaria, di Tullio De Mauro

Le lauree brevi, di Tullio De Mauro e Francesco De Renzo

Laurearsi in Lettere e filosofia

Laurearsi in Scienze della comunicazione

Laurearsi in Psicologia

Laurearsi in Scienze della formazione

Laurearsi in Scienze politiche

Laurearsi in Economia

Laurearsi in Giurisprudenza

Professione insegnante

Professione giornalista

Parlare l'italiano. Come usare bene la nostra lingua, di Edoardo Lombardi Vallauri

Leggere. Come capire, studiare, apprezzare un testo, di Serena Fornasiero e Silvana Tamiozzo Goldmann

Scrivere l'italiano. Galateo della comunicazione scritta, di Serena Fornasiero e Silvana Tamiozzo Goldmann

Prepararsi agli esami, di Paolo Legrenzi

Annotazioni

Annotazioni

Annotazioni

Annotazioni